70 JEUX DE LOGIQUE

Niveau difficile

Marabout

traduction adaptation
Antoine Pinchot

Mise en page
Domino

Relecture
Jean-Paul Martin

Dépot légal 58969 - juin 2005
ISBN : 2501-045-28-9
Code article : 4094710/01

Imprimé en Italie par «La Tipografica Varese S.p.A.»

Jeux

Le problème du facteur

Les vieilles maisons de ce quartier ont toujours posé un problème de distribution du courrier. En effet, leurs numéros semblent n'avoir aucun rapport avec leurs positions respectives autour de la place centrale. À son arrivée à la poste locale, chaque nouveau facteur doit résoudre le problème ci-dessous afin de mémoriser l'emplacement de chaque maison.

Les maisons sont numérotées de 1 à 24, et la position de chaque lettre du schéma indique l'emplacement de la porte. Les maisons P, Q, R, ainsi que S, T et U ont des numéros impairs. La somme des numéros des maisons P, Q, R est égale à celle des maisons S, T, U. Cette somme est supérieure de deux à la somme des numéros des maisons F et G, le numéro de F étant le double du numéro de G. Le total des numéros de J, K, L, M et N est supérieur de 10 à celui des numéros de A, B, C, D et E. La somme des numéros de W, X et Y est supérieure de 20 au total des numéros S, T et U.

Le numéro de la maison B est 20. Les portes des maisons 5 et 7 sont orientées à l'ouest mais elles ne sont pas voisines. Le numéro de C est la moitié de celui de D, qui est la moitié de celui de E. La somme des numéros de C et de D égale le numéro de A. Le numéro de X égale quatre fois celui de W. Le numéro de V est inférieur de dix-neuf à celui de Z, qui représente deux fois celui de H. Le numéro de N est supérieur de un à celui de Z et de deux à celui de K, qui égal à une fois et demie celui de J.

Le numéro de E est supérieur à quatre à celui de A. Celui de T est supérieur à celui de U, qui est supérieur à celui de S. La maison numéro 2 est située à l'ouest de la maison numéro 10, et la maison numéro 7 est située au nord de la maison numéro 5.

Pouvez-vous retrouver le numéro de chaque maison du quartier ?

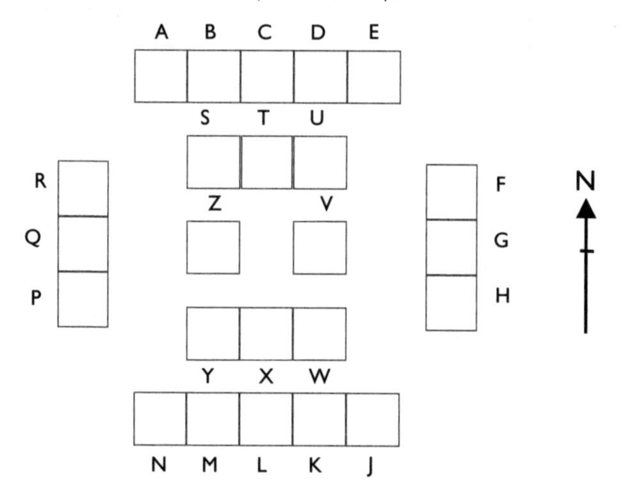

Gestion du stress

Quatre cadres supérieurs stressés ont choisi une méthode orientale pour se relaxer. Pouvez-vous retrouver le prénom de chaque âme en détresse, sa société et la méthode qu'il emploie ?

Indices

1. M. Dubois a choisi les boules relaxantes japonaises ; il ne se prénomme pas Nathan, qui travaille dans une banque.
2. Hérissée d'aiguilles d'acupuncture, Mlle Perrier ressemble parfois à un porc-épic. Son prénom n'est pas Élise.
3. Elsa ne travaille pas dans une compagnie d'assurance, pas plus que l'homme ou la femme qui écoute du sitar à longueur de journée.
4. L'employé ou l'employée de la société d'informatique pratique le yoga, les pieds en l'air devant son écran. Son nom n'est pas Tussaud. Valéry Hulot ne travaille pas dans le magasin d'électroménager.

Acupuncture

Prénom	ÉLISE	ELSA
	NATHAN	VALÉRY
Nom	~~DUBOIS~~	HULOT
	PERRIER	TUSSEAU
Société	ÉLECTROMÉNAGER	ASSURANCES
	BANQUE	INFORMATIQUE

Boules relaxantes

Prénom	ÉLISE	~~ELSA~~
	~~NATHAN~~	VALÉRY
Nom	(DUBOIS)	~~HULOT~~
	~~PERRIER~~	~~TUSSEAU~~
Société	ÉLECTROMÉNAGER	ASSURANCES
	~~BANQUE~~	U B LOOPY

Sitar

Prénom	ÉLISE	ELSA
	NATHAN	VALÉRY
Nom	~~DUBOIS~~	HULOT
	PERRIER	TUSSEAU
Société	ÉLECTROMÉNAGER	ASSURANCES
	BANQUE	INFORMATIQUE

Yoga

Prénom	ÉLISE	ELSA
	NATHAN	VALÉRY
Nom	~~DUBOIS~~	HULOT
	PERRIER	TUSSEAU
Société	ÉLECTROMÉNAGER	ASSURANCES
	BANQUE	INFORMATIQUE

Robots

Les membres d'une famille de robots sont les personnages principaux d'un nouveau film de science-fiction. Ils sont tous identiques, à l'exception de leur couleur. En vous basant sur les indices fournis, pouvez-vous retrouver la couleur de chaque robot et retrouver le nom de l'acteur qui se trouve à l'intérieur ?

Indices

1. L'acteur qui incarne Roxane, dont le nom de famille n'est pas composé de quatre lettres, n'est pas Philippe.
2. Le robot jaune est joué par un acteur dont le nom de famille est Janvier ; celui dont le nom de famille est Martin incarne Ramona.
3. Claudia, dont le nom de famille n'est pas Lévy, incarne le robot gris, dont le prénom est masculin.
4. Romulus, le robot joué par Sylvie, n'est pas vert.
5. Le nom de famille de Georges est Kant.
6. Remus est le robot rouge.

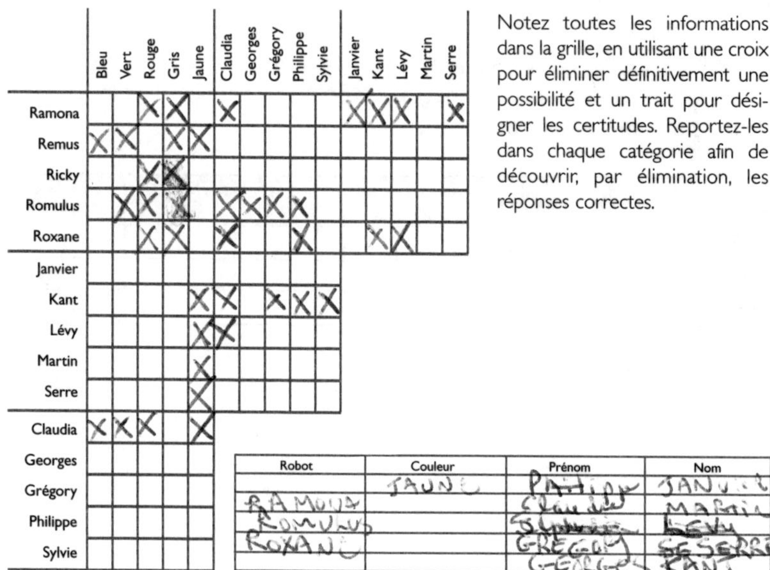

Notez toutes les informations dans la grille, en utilisant une croix pour éliminer définitivement une possibilité et un trait pour désigner les certitudes. Reportez-les dans chaque catégorie afin de découvrir, par élimination, les réponses correctes.

Golf

Trois golfeurs s'affrontent sur un parcours de dix-huit trous dont le par est 72 (le par est le nombre de coups théoriquement nécessaires pour réussir un trou ou un parcours). Chacun des coups joués entre dans l'une des cinq catégories figurant dans le tableau. À la fin du parcours, chaque joueur obtient un résultat différent, supérieur à zéro, dans chaque catégorie. Dans chaque catégorie, le résultat est différent pour chaque joueur. Par exemple, si un joueur a réalisé deux eagles, il a obtenu un résultat dans les quatre autres catégories, et aucun autre joueur n'a réalisé deux eagles. En vous basant sur les affirmations qui suivent, pouvez-vous remplir la grille ?

Patrick, dont le nombre de parts n'est pas le plus petit, a obtenu un eagle de plus que de bogeys. La somme de ces deux nombres est égale à son nombre de birdies. Ce nombre est égal aux pars de Bruno, inférieur de deux à ses birdies et supérieur de deux à ses doubles bogeys. Nicolas a obtenu deux fois plus de pars que de birdies et deux fois plus de birdies que de double bogeys, ce dernier résultat étant égal au nombre d'eagles de Bruno. Ce nombre est supérieur de un au nombre de bogeys de Bruno, ce dernier étant inférieur de deux à celui de ses doubles bogeys.

	Eagle – 2	Birdie – 1	Par 0	Bogey + 1	Double Bogey + 2	Score final
Patrick						
Nicolas						
Bruno						

ABC

Chaque ligne, horizontalement et verticalement, doit comporter les lettres A, B, C, D et deux cases vides. Les lettres à l'extérieur indiquent la première ou la deuxième lettre en direction de la flèche. Pouvez-vous remplir la grille ?

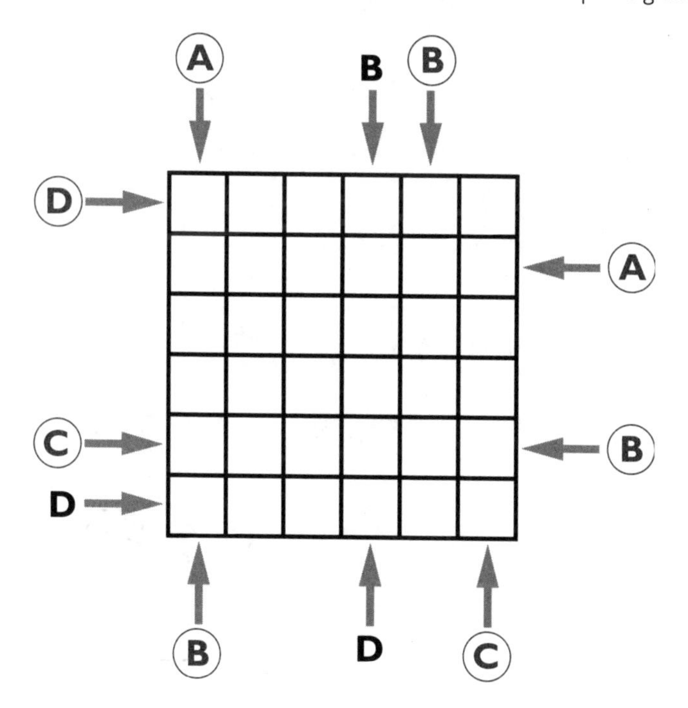

Danse des nombres

Remplissez la grille avec les nombres ci-dessous.

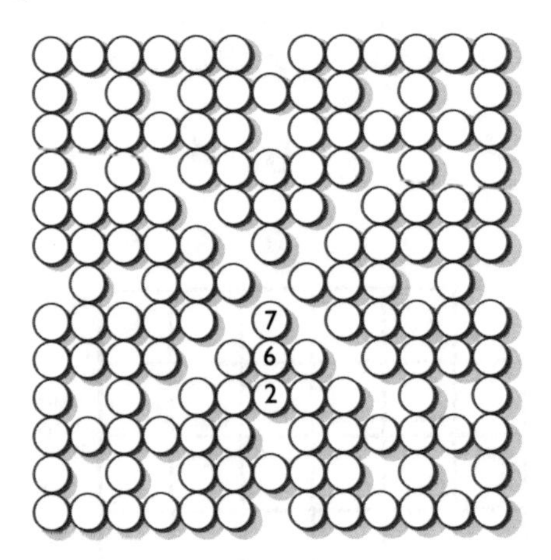

3 chiffres

184
287
395
499
571
672
762
863

4 chiffres

1918
2016
3172
4958
5661
6294
7676
9737

5 chiffres

10179
20507
22458
30254
31007
47555
47742
50923
51206
62918
63459
78957
81633
84156
92107
97980

6 chiffres

123579
166266
220179
223344
345678
357913
441133
443322
556677
566333
601714
678135
721233
765432
803917
912005

Structure de cases

Votre objectif consiste à créer des zones de cases blanches entourées de murs de cases noires, en respectant les règles suivantes :

- Chaque zone blanche ne doit contenir qu'un chiffre.
- Le nombre de cases dans la zone blanche doit être égal au chiffre qu'il contient.
- Les zones blanches sont séparées par un mur de cases noires.
- Les cases contenant les chiffres ne peuvent pas être noircies.
- Les cases noires doivent constituer un mur continu.
- Les cases noires ne peuvent pas former un carré de deux cases de côté et plus.

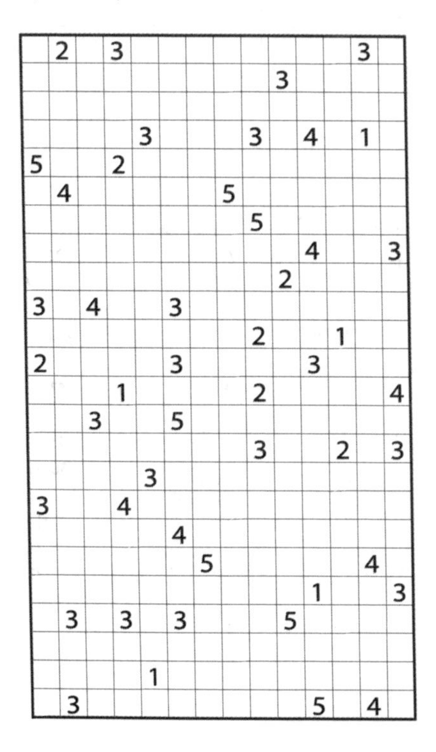

Chiffres croisés

Placez les chiffres 1 à 9 dans les cases vides de façon que la somme de chaque série horizontale ou verticale soit égale au nombre situé en haut ou à gauche de chaque bloc. Chaque chiffre ne peut être utilisé qu'une seule fois dans chaque bloc.

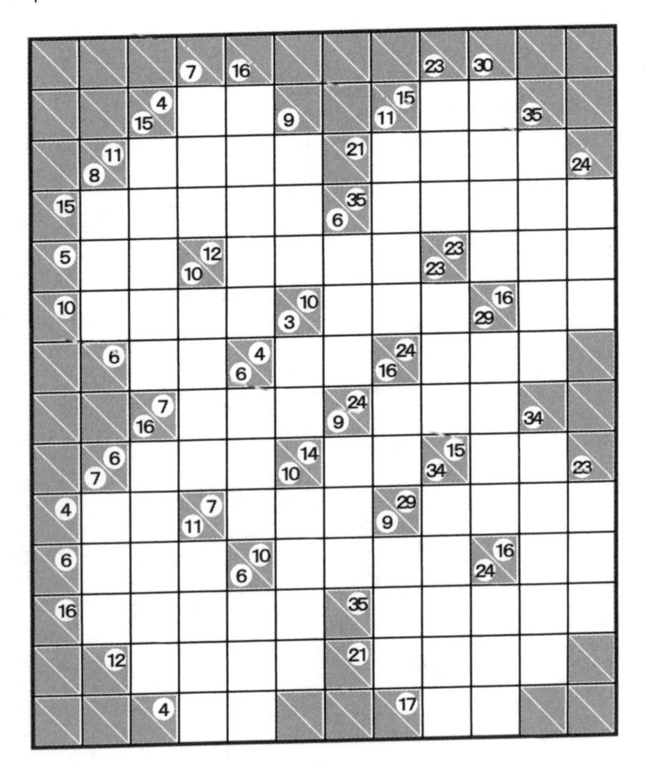

Sacrée soirée !

La star de la pop Harry Splitter a organisé une fête dont le monde entier a entendu parler. Cinq journaux anglais ont relayé l'information. Dans les indices suivants, les journaux et les titres d'articles ont été mélangés, si bien qu'aucun des mots ne devrait être associé aux autres. Pouvez-vous reconstituer les titres d'articles et les associer au journal qui les a publiés ?

1. Le *Daily Standard* a titré : « Une soirée hilarante. »
2. Le *Morning Argus* a titré : « Une orgie scandaleuse. »
3. Le *Daily Chronicle* a titré : « Une bacchanale hilarante. »
4. L'*Evening Chronicle* a titré : « Une sauterie démente. »
5. Le *Weekly Echo* a titré : « Une bacchanale sauvage. »
6. Le *Sunday News* a titré : « Une java scandaleuse. »
7. Le *Daily Argus* a titré : « Une bacchanale réussie. »
8. Le *Sunday Standard* a titré : « Une soirée sauvage. »
9. Le *Weekly News* a titré : « Une sauterie réussie. »
10. L'*Evening News* a titré : « Une bacchanale scandaleuse. »

1er mot journal	2e mot journal	1er mot titre	2e mot titre
Daily	ARGUS	HILARANTE	BACCHANALE
	CHRONICLE	JAVA	RÉUSSIE
	ECHO	DÉMENTE	SAUTERIE
	NEWS	SCANDALEUSE	ORGIE
	STANDARD	SAUVAGE	SOIRÉE
Evening	ARGUS	HILARANTE	BACCHANALE
	CHRONICLE	JAVA	RÉUSSIE
	ECHO	DÉMENTE	SAUTERIE
	NEWS	SCANDALEUSE	ORGIE
	STANDARD	SAUVAGE	SOIRÉE
Morning	ARGUS	HILARANTE	BACCHANALE
	CHRONICLE	JAVA	RÉUSSIE
	ECHO	DÉMENTE	SAUTERIE
	NEWS	SCANDALEUSE	ORGIE
	STANDARD	SAUVAGE	SOIRÉE
Sunday	ARGUS	HILARANTE	BACCHANALE
	CHRONICLE	JAVA	RÉUSSIE
	ECHO	DÉMENTE	SAUTERIE
	NEWS	SCANDALEUSE	ORGIE
	STANDARD	SAUVAGE	SOIRÉE
Weekly	ARGUS	HILARANTE	BACCHANALE
	CHRONICLE	JAVA	RÉUSSIE
	ECHO	DÉMENTE	SAUTERIE
	NEWS	SCANDALEUSE	ORGIE
	STANDARD	SAUVAGE	SOIRÉE

Commencez par chercher quel mot est associé à bacchanale et dans quel journal il est paru.

D’une île à l’autre

Chaque cercle représente une île. Votre objectif est de relier chacune d’elles verticalement ou horizontalement grâce à un pont en respectant les règles suivantes :

- Chaque île possède un nombre de ponts égal au numéro qui y est inscrit.
- Deux îles peuvent être reliées par deux ponts à la fois.
- Un pont ne peut croiser un autre pont ou une île.
- Il existe un chemin continu qui relie toutes les îles.

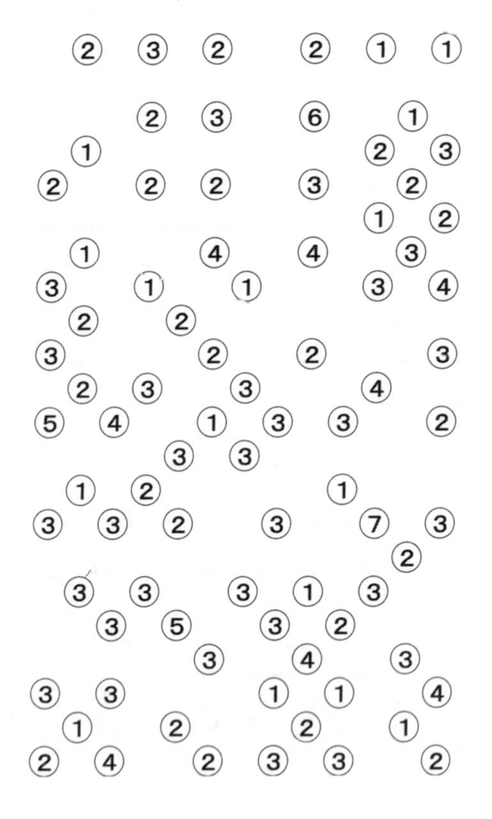

Déco de Noël

Chaque décoration de Noël a une valeur comprise entre 1 et 8, identique quelle que soit la position du symbole. Les nombres sur les côtés indiquent la somme des valeurs attribuées aux symboles dans chaque rangée et colonne. Pouvez-vous retrouver la valeur de chaque symbole ?

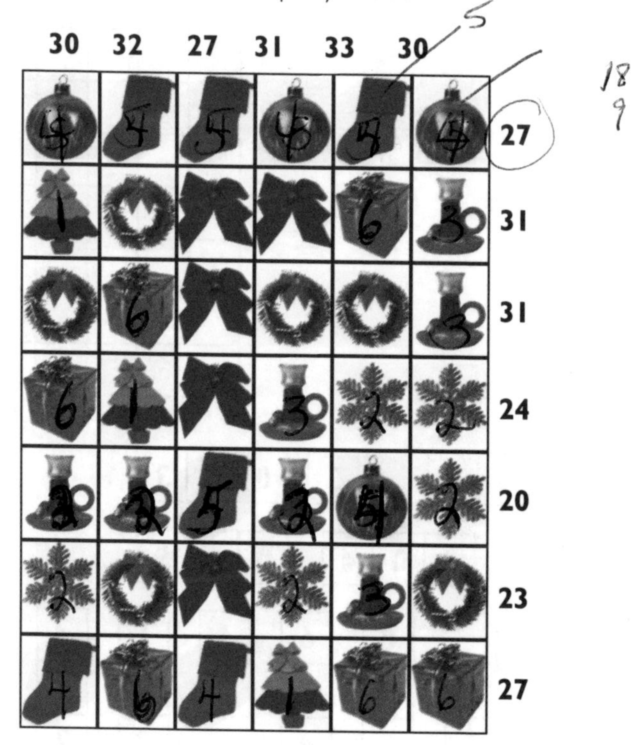

Casse-tête

Complétez la grille en y plaçant les blocs numérotés, de façon que les mêmes nombres puissent être lus de gauche à droite et de haut en bas en partant de n'importe quelle case de la diagonale reliant la case en haut à gauche à la case en bas à droite.

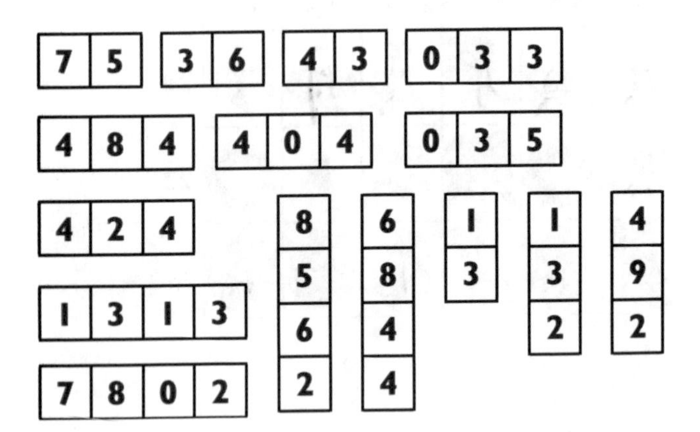

Querelle de voisinage

Chacun des couples habitant les villas du quartier a des problèmes avec un voisin. Il y a peu de chances que vous parveniez à résoudre ces différends. Contentez-vous de retrouver qui bataille avec qui, où vivent les parties en conflit et quelles sont les causes du différend.

Indices

1. Le couple de la villa Petit Nid a des problèmes avec les habitants de la villa Chez nous. Il ne s'agit ni des Dubois ni des Moulin ; aucun de ces derniers n'a le moindre problème avec les Bouvier et les Favier, ces derniers n'étant pas responsables du problème provoqué par les limaces.
2. Les habitants de la villa Mon désir, qui ne sont ni les Carrier ni les Dubois, se disputent avec les Chabot, qui n'habitent pas la villa Mon bon plaisir, qui possède un jardin dont le plus grand arbre dépasse dans la propriété voisine, qui n'appartient pas aux Dubois.
3. Les Garnier, qui habitent la villa Ker tranquille, ne sont les voisins ni des Hatier ni du couple habitant la villa Sans souci, l'un de ces derniers étant responsable des lancers de limaces au-dessus du mur et l'autre du tapage nocturne.
4. Les Favier n'habitent pas près de la villa Mon caprice. Les voisins qui ont des problèmes provoqués par des animaux sont les Barnier, les habitants de la villa Nous deux. Aucun de ces derniers n'est en conflit avec les Perrier de la villa Sam'suffit.

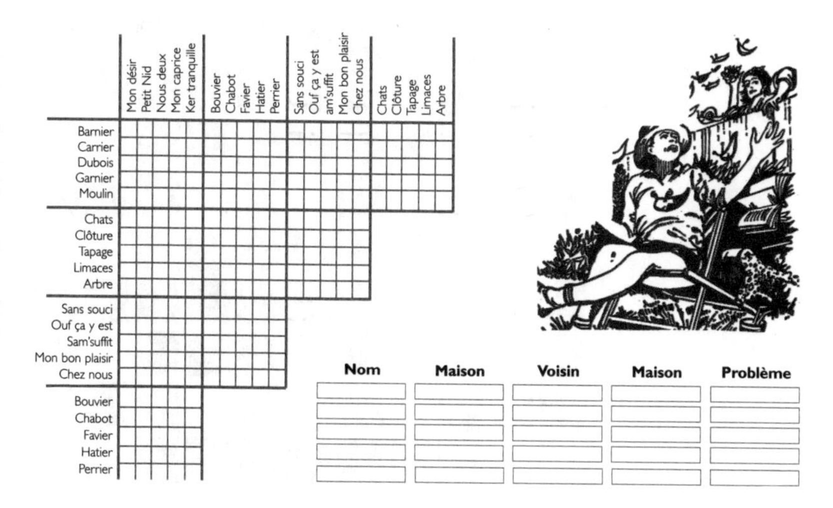

Danse des nombres

Remplissez la grille avec les nombres ci-dessous.

3 chiffres
244
432
433
456
459
521
522
565
623
625
662
674
742
774
853
894

5 chiffres
41322
42071

7 chiffres
4224545
4312344
4321345
5443099
7450975
7654456

11 chiffres
43136777786
43973953013
55443135666
56562523451
68575856944
75714244524

Bien vu

Le chiffre figurant dans chaque cercle indique combien de ses voisins doivent être remplis, le cercle où figure le chiffre étant lui-même compris dans ce nombre.

Dans l'exemple A, le zéro est un point de départ. Barrez-le, ainsi que ses voisins (B). Trois cercles peuvent à présent être remplis (C), légèrement, car les chiffres doivent rester lisibles.

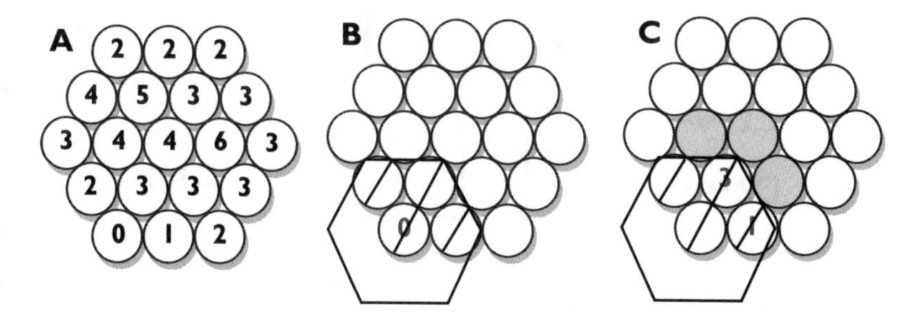

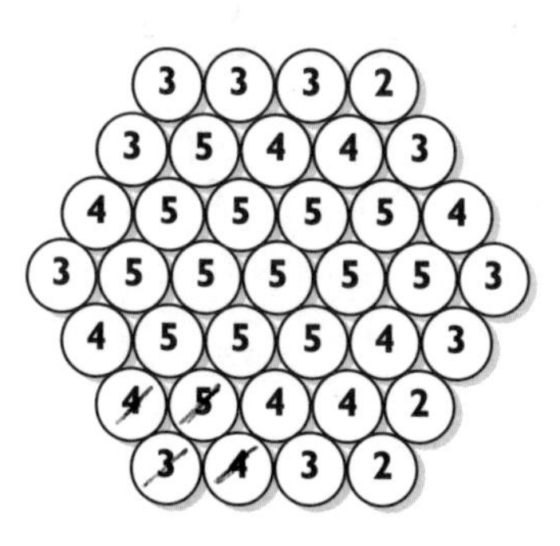

ABC

Chaque rangée et chaque colonne de cette grille contenait un A, un B, un C, un D et deux cases blanches. Les lettres et les chiffres figurant à l'extérieur de la grille indiquent la première ou la deuxième des quatre lettres qui se trouvait dans la colonne ou la rangée, en direction de la flèche. Pouvez-vous reconstituer la grille ?

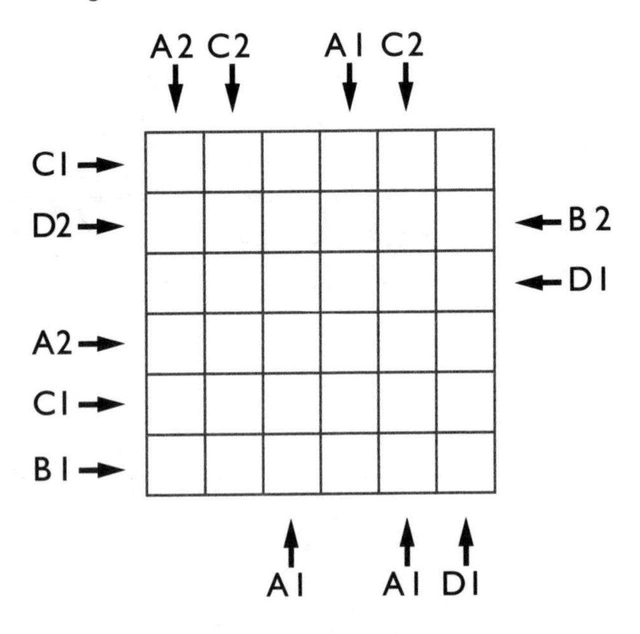

Master Mind Hôtel

Le concierge de cet immeuble de luxe a une manie qui a de quoi dérouter les visiteurs. Chaque fois que l'un d'eux lui demande dans quel appartement vit la personne à qui il souhaite rendre visite, il lui tend une liste des habitants et lui demande de deviner quel résident occupe chaque appartement. Le visiteur ayant répondu, il écrit deux chiffres en face de chaque hypothèse :

Le premier indique combien de réponses sont strictement exactes (nom et numéro d'appartement exacts).
Le second indique le nombre de réponses partiellement exactes (nom exact mais numéro d'appartement faux).

Il précise que chaque nom ne peut apparaître qu'à un étage. Par exemple, si Dupont habite au rez-de-chaussée, son nom n'apparaît à aucun autre étage. Cependant, il peut apparaître plusieurs fois au même étage.

En étudiant les douze hypothèses ci-dessous et le panneau comportant le nom des résidents, pouvez-vous retrouver les habitants de chaque étage ?

Nom des résidents
Alibert, Barbier, Dubois, Imbert, Estienne, Fabre, Hébert, Kahn, Meunier, Nodier

					Étage et appartement exacts	Étage exact seulement
1	Nodier	Hébert	Imbert	Nodier	1	2
2	Dubois	Nodier	Dubois	Nodier	1	1
3	Kahn	Dubois	Estienne	Imbert	0	2
4	Imbert	Hébert	Barbier	Dubois	0	1
	I	J	K	L		
5	Meunier	Barbier	Alibert	Imbert	0	3
6	Dubois	Dubois	Fabre	Kahn	0	1
7	Kahn	Imbert	Meunier	Nodier	0	2
8	Alibert	Fabre	Hébert	Barbier	2	0
	E	F	G	H		
9	Dubois	Kahn	Dubois	Hébert	1	2
10	Hébert	Dubois	Barbier	Meunier	2	0
11	Fabre	Barbier	Hébert	Nodier	0	2
12	Alibert	Dubois	Nodier	Kahn	1	0
	A	B	C	D		

I	J	K	L
E	F	G	H
A	B	C	D

Bureaux

Cinq sociétés ont leurs bureaux dans un immeuble de sept étages, chacune employant une réceptionniste, dont le guichet se trouve à l'étage inférieur si la société en occupe deux. En vous basant sur les indices fournis, pouvez-vous préciser quelle société se trouve à chaque étage, la nature de son activité et le nom de sa réceptionniste ?

Indices

1. Le cabinet d'avocats, dont les bureaux ne sont pas situés au 4e étage, n'emploient pas Jeanne Keller.
2. Le cabinet d'architectes qui emploie Karine Lebrun occupe des bureaux plus élevés que la société qui emploie Anne Lenoir.
3. Gaëlle Hébert travaille pour Lorin & Hardy, dont les bureaux ne sont pas au 7e étage.
4. Sophie Thévenet travaille deux étages plus haut que le réceptionniste employé par les éditeurs Chapuis & Chabert.
5. Les 5e et 6e étages sont occupés par Koegler & Robert.
6. Bernier & Chenaux ne sont pas les comptables qui occupent le 3e étage.

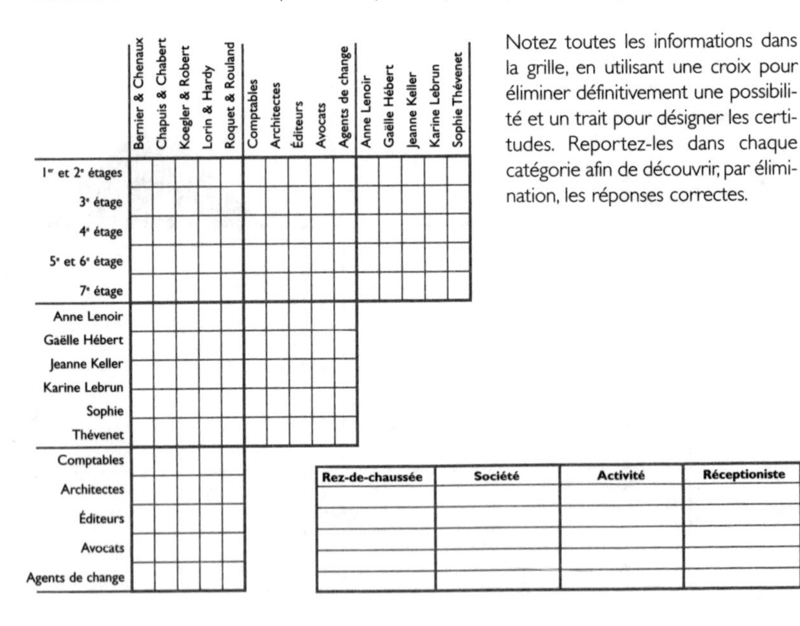

Notez toutes les informations dans la grille, en utilisant une croix pour éliminer définitivement une possibilité et un trait pour désigner les certitudes. Reportez-les dans chaque catégorie afin de découvrir, par élimination, les réponses correctes.

Rez-de-chaussée	Société	Activité	Réceptioniste

Images cachées

Pouvez-vous découvrir quelles images sont cachées dans les cases vides ?
Les deux nombres à droite de chaque rangée vous indiquent :

1. Combien d'images se trouvent à la bonne place.

2. Combien d'images figurent dans la solution mais ne sont pas à la bonne place.

Plusieurs images identiques peuvent figurer dans la solution.

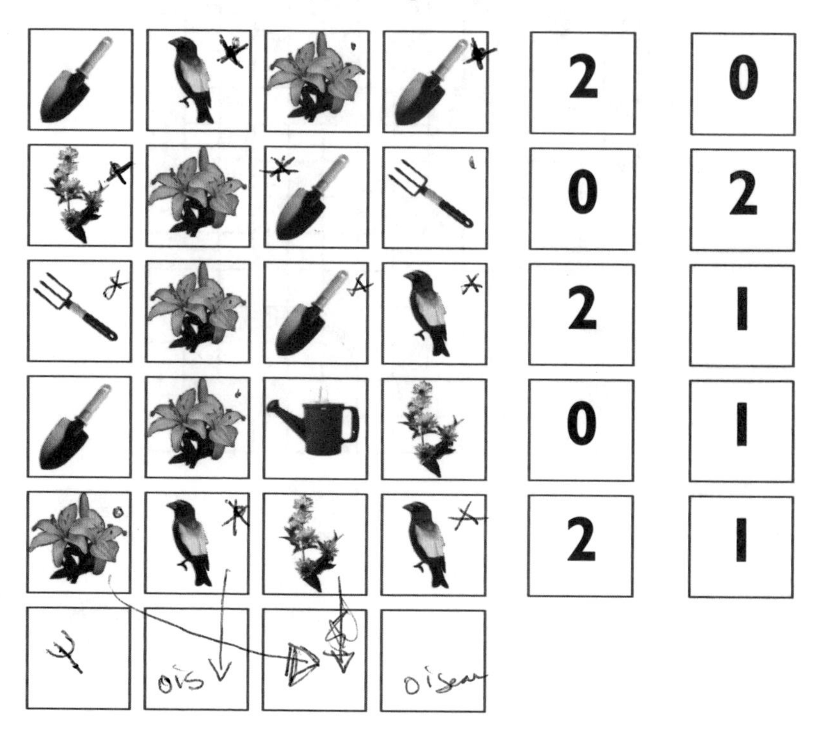

La danse des nombres

Remplissez la grille avec les nombres ci-dessous.

3 chiffres

116
170
~~241~~
249
306
353
423
551
582
614
779
821
954
970

4 chiffres

1298
3302
4245
7443

5 chiffres

13598
15348
19281
24467
25732
28906
30714
35543
36772
44596
48190
49647
52673
52739
53509
60826
63091
67768
71910
74783
79805
82001
82697
83728
90723
92200
93014

6 chiffres

116238
250867
268982
646903
934516

Nombres fléchés

Chaque nombre figurant dans les cases sombres de la grille indique la somme des chiffres qui doivent être placés dans la direction de la flèche. Un seul chiffre peut être placé par case. Il n'y a pas de zéro. Un chiffre ne doit figurer qu'une fois par somme. Par exemple, la réponse au 8 fléché ne peut pas être 44. Une séquence de chiffres formant une somme ne peut apparaître qu'une fois dans la grille. Par exemple, si un 8 fléché est 53, aucun autre 8 fléché ne peut être 53 ou 35. Il s'agira d'autres chiffres, comme 71/17 ou 62/26. Utilisez votre logique, davantage que vos connaissances en mathématiques, pour compléter la grille.

■	6 ▼	20 ▼	27 ▼	4 ▼	■	31 ▼	13 ▼	14 ▼
12 ▶					19 ▶ / 6 ▼			
38 ▶			8			4		
■	13 ▶ ▼			12 ▶ ▼			12 ▼	14 ▼
19 ▶		5			20 ▶			
19 ▶					20 ▶	9		

Dominos

Un tirage de dominos est présenté ci-dessous. Chaque domino est présenté de façon que la valeur la plus élevée soit placée en dessous.

Exemple : 3 et non 6
6 3

Les chiffres supérieurs indiquent les quatre chiffres correspondant à la moitié supérieure de chaque domino dans la colonne correspondante. Les chiffres inférieurs, sous la grille, indiquent les quatre chiffres de la moitié inférieure de chaque domino dans la colonne correspondante. Les séries de sept chiffres sur la gauche indiquent les chiffres composant la rangée correspondante. Pouvez-vous déduire les valeurs de chaque domino en vous aidant de celui dont la valeur est indiquée ?

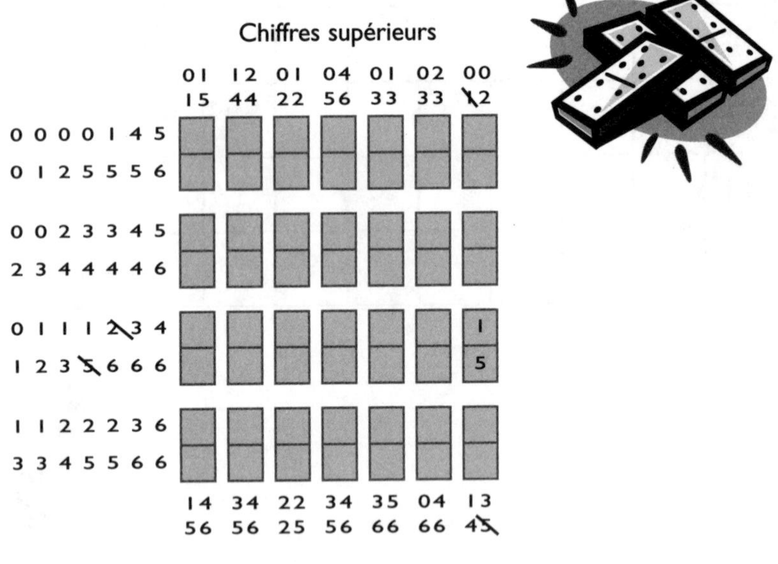

Hexagones

En plaçant des chiffres de 1 à 9 dans les espaces libres, faites en sorte que la somme des chiffres contenus dans chacun des seize hexagones soit égale à 25. Un chiffre ne peut pas apparaître deux fois dans un même hexagone.

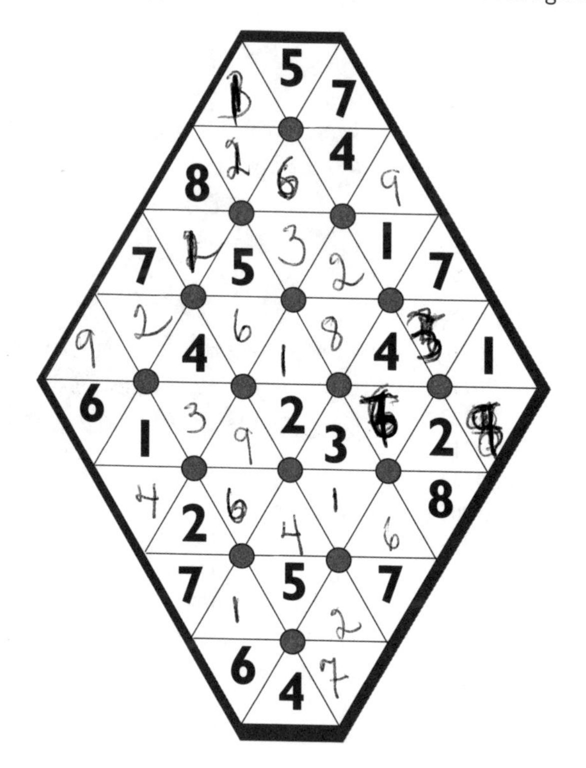

Danse des nombres

Remplissez la grille avec les nombres ci-contre.

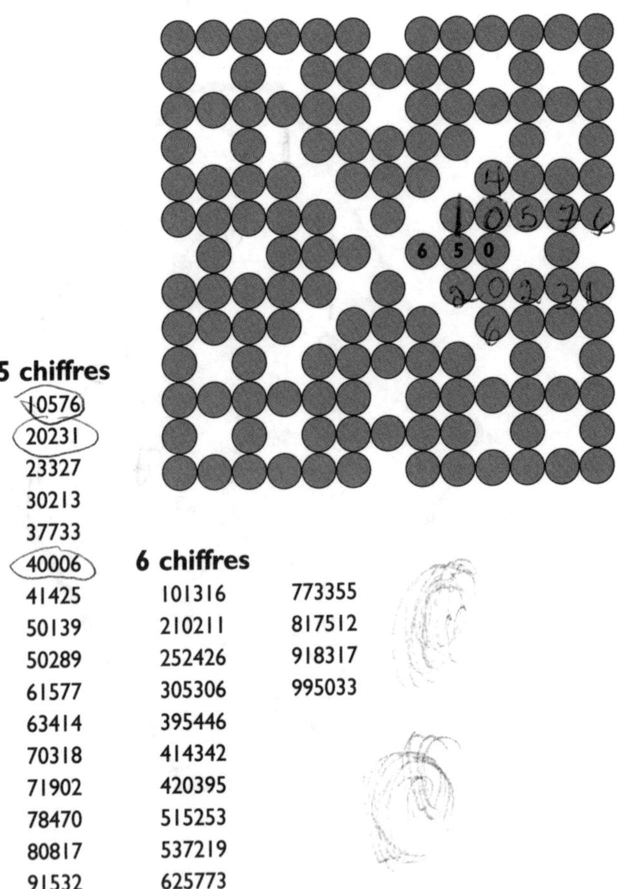

3 chiffres

152
234
387
489
516
650
713
834

4 chiffres

1918
2227
3514
4530
5995
6130
7476
8104

5 chiffres

10576
20231
23327
30213
37733
40006
41425
50139
50289
61577
63414
70318
71902
78470
80817
91532

6 chiffres

101316
210211
252426
305306
395446
414342
420395
515253
537219
625773
636669
747176
773355
817512
918317
995033

Structure de cases

Votre objectif consiste à créer des zones de cases blanches entourées de murs de cases noires, en respectant les règles suivantes :

- Chaque zone blanche ne doit contenir qu'un chiffre.
- Le nombre de cases dans la zone blanche doit être égal au chiffre qu'il contient.
- Les zones blanches sont séparées par un mur de cases noires.
- Les cases contenant les chiffres ne peuvent pas être noircies.
- Les cases noires doivent constituer un mur continu.
- Les cases noires ne peuvent pas former un carré de 2 cases de côté et plus.

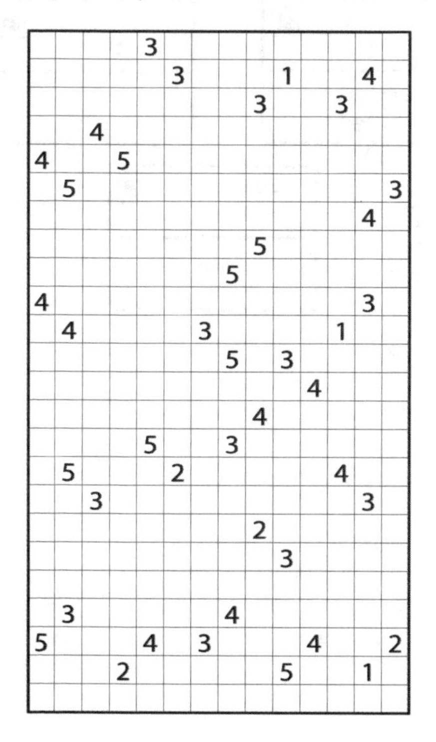

Amis d'enfance

Cinq amis de lycée se séparent pour mener leur vie. Ils se sont promis de s'écrire de temps à autre, sans définir d'obligation particulière. Au cours de leur première année de séparation, ils se sont adressé les courriers suivants :

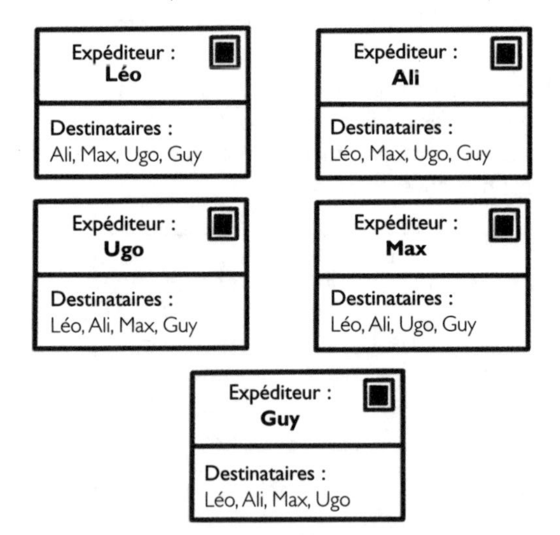

1. Max a envoyé deux fois plus de lettres à Garnier qu'à Imbert, qui a envoyé deux fois plus de lettres à Léo qu'à Guy.
2. Garnier a reçu deux fois plus de lettres d'Ugo que de Ali, qui en a envoyé quatre à Imbert.
3. Léo a envoyé plus de lettres à Garnier qu'à Jacquet, qui a reçu trois lettres de Max.
4. Hébert a envoyé plus de lettres à Max que Max n'en a envoyées à Hébert.
5. Ugo a reçu deux fois plus de lettres de Faure que de Hébert.
6. Personne n'a envoyé le même nombre de lettres à plusieurs de ses correspondants. Chacun a envoyé et reçu dix lettres.

Pouvez-vous nommer chaque ami et préciser combien de lettres (au moins une) il a envoyées à chacun de ses correspondants ?

De branche en branche

Sur le diagramme figurent quatre lignes droites dont les extrémités sont numérotées de I à VIII. En conséquence, l'extrémité de chaque branche est numérotée de I à VIII. Chaque branche comporte deux cercles. Dans chaque cercle intérieur figure un chiffre de 1 à 8 ; dans chaque cercle extérieur figure une lettre de A à H. En vous basant sur les indices fournis, pouvez-vous remplir chaque cercle ?

Indices

1. Le groupe de lettres HAG peut-être lu dans le sens contraire des aiguilles d'une montre. Tous les chiffres correspondant à ces lettres sont pairs.
2. Le 8 et 7 sont sur une même ligne droite comportant un chiffre romain pair à chacune de ses extrémités, celui du 8 étant supérieur à celui du 7.
3. La lettre en position III est le B.
4. La somme du chiffre de la branche V et du chiffre de la branche opposée à celle où figure le A est égale au nombre de la branche IV.
5. Le 5 est sur la branche I.
6. La lettre en position VI est une voyelle.
7. Le 1, qui n'est pas sur la même ligne droite que le 6, est sur la branche dont la numérotation est supérieure de deux à celle de la branche comportant le C.
8. La lettre de la branche IV précède celle de la branche II dans l'alphabet, mais ne la précède pas directement.

Lettres : A, B, C, D, E, F, G, H
Chiffres : 1, 2, 3, 4, 5, 6, 7, 8

Commencez par chercher la place du H.

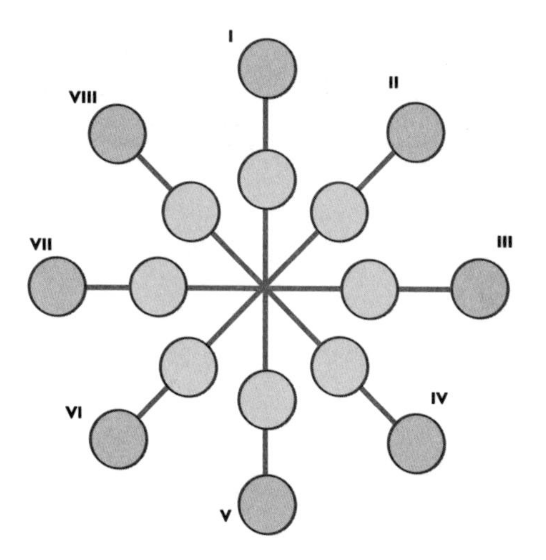

Cartes sur table

Les treize cartes d'une suite et deux jokers sont mélangés et disposés en ligne. Aucune carte de la suite n'est dans sa position logique, en partant de la gauche, que vous commenciez par un as ou l'un des jokers. Ni valet, ni dame, ni roi ne sont adjacents l'un à l'autre, ni à un joker.

Une carte sépare les jokers, qui sont situés à droite du valet, de la dame, du roi et de l'as. L'une de ces quatre dernières est posée à l'extrême gauche. Le 8 est deux places à gauche du 9, l'as est deux places à gauche du 3, le 6 est deux places à gauche du 2, la dame est deux places à gauche du valet, le 10 est deux places à gauche du 8, le 4 est trois places à gauche du premier joker en partant de la gauche, le roi est trois places à gauche de l'as, le 6 est quatre places à gauche du 5, le premier joker est quatre places à droite de la dame.

Les 4e, 7e et 10e cartes en partant de la gauche sont impaires. Les 5e, 9e et 13e cartes sont paires (les jokers ne sont ni pairs ni impairs).

Pouvez-vous retrouver la place de chaque carte ?

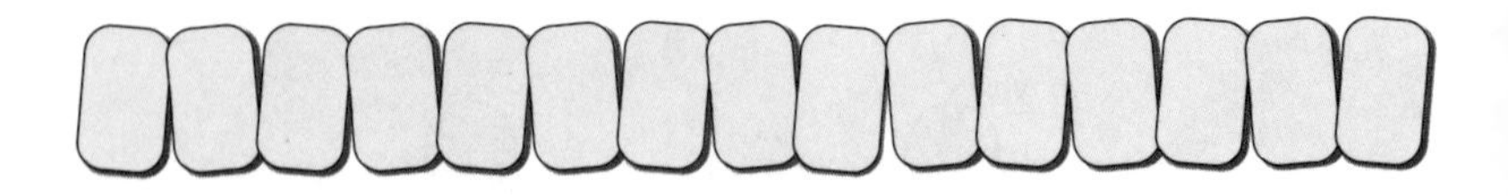

D'une île à l'autre

Chaque cercle représente une île. Votre objectif est de relier chacune d'elles verticalement ou horizontalement grâce à un pont. Vous devez respecter les règles suivantes :

- Chaque île possède un nombre de ponts égal au numéro qui y est inscrit.
- Deux îles peuvent être reliées par deux ponts à la fois.
- Un pont ne peut croiser un autre pont ou une île.
- Il existe un chemin continu qui relie toutes les îles.

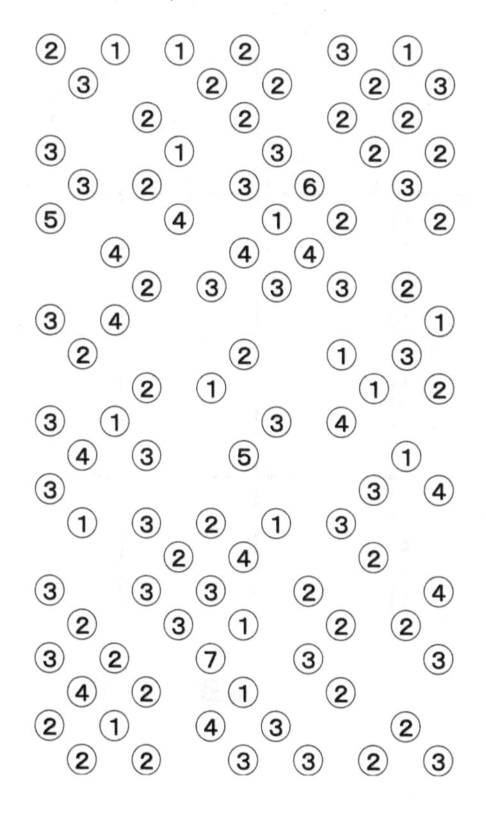

Cascade

Les chiffres figurant au-dessus de chaque colonne et à gauche de chaque rangée fournissent des indications sur les cases noires qu'elles contiennent. Par exemple, 2, 3, 5 signifie que la rangée ou la colonne contient, de gauche à droite ou de haut en bas, deux cases noires consécutives, puis au moins une case blanche, puis trois cases noires consécutives, puis au moins une case blanche, puis cinq cases noires consécutives. Les séries de cases noires doivent être séparées par au moins une case blanche. Pouvez-vous compléter cette grille et découvrir le dessin qu'elle dissimule ?

	2 2	5 5	1 2	2 2	2 6	5	1 1	9 2	3 1 1 2	3 3 2 3	3 1 2 1 1	3 1 1 1	3 2 1 1	3 1 2 1	4 2
2															
2 1 7															
1 1 8															
1 2 8															
2 2 1 1															
2 3 3															
1 1 1															
2 1 2															
3 1															
2 1 1 2															
1 1 1 2															
1 2 1 1															
2 2 5															
2 3 1															
9															

Portrait pixellisé

Le chiffre figurant dans chaque case indique combien de cases adjacentes doivent être noircies, la case elle-même pouvant être comprise dans ce nombre. Sachant qu'une case peut avoir jusqu'à huit cases adjacentes, pouvez-vous remplir cette grille pour faire apparaître un portrait ?

0		0		2		5		5		2		0		0
	1		4		6		6		6		3		0	
0		4		7		5		7		8		2		0
	4		8		4		5		8		7		2	
2		7		4		6		7		7		7		3
	7		6		6		6		3		6		8	
3		6		7		6		3		3		6		4
	3		5		6		2		2		2		3	
0		1		5		3		2		3		1		0
	0		0		3		2		1		2		0	
0		0		1		3		3		4		1		0
	0		0		1		3		5		3		0	
0		2		3		3		5		6		3		2
	4		6		6		4		4		5		5	
4		8		9		8		5		6		7		6
	8		8		9		6		5		4		6	
4		7		7		8		8		8		6		6
	4		4		8		7		7		4		6	
1		2		4		8		8		8		6		6
	0		0		4		5		5		3		4	

1	2	3
8	X	4
7	6	5

Symbolisme

Chacun des quatre symboles (cœur, trèfle, carreau, pique) représente un nombre dans toutes les rangées. Le total représente la somme des symboles de la rangée correspondante.

Chaque symbole représente également un nombre (il peut être ou ne pas être le même que celui figurant dans la rangée !) dans toutes les colonnes. La somme des symboles figure en bas de la colonne correspondante.

Pouvez-vous retrouver la valeur de chaque symbole, horizontalement et verticalement ?

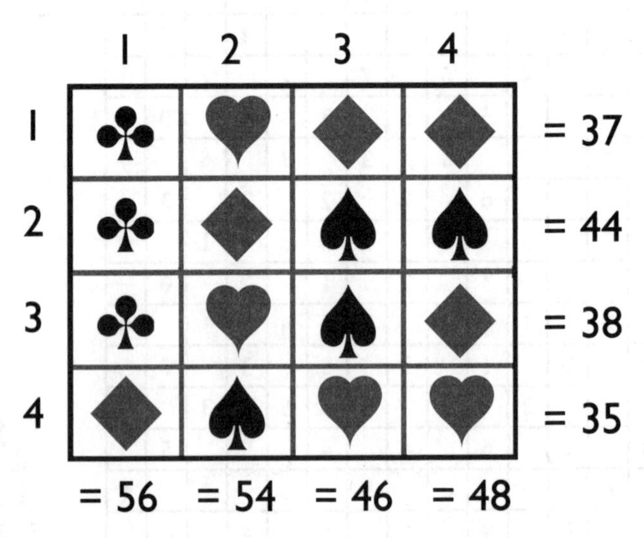

Chiffres croisés

Horizontalement

1. Ajoutez 1 au carré de (*6 horizontalement* + *7 horizontalement* + *2 verticalement* + *11 verticalement*).
6. Soustrayez (*4 verticalement* + 1) de *7 horizontalement.*
7. Multipliez le 2e chiffre de *2 verticalement* par 19.
8. Cube de (*11 verticalement* moins *1*).
9. Les deux premiers chiffres de *8 horizontalement.*
11. Ajoutez 3 au carré du 1er chiffre de *4 verticalement.*
12. Carré de (*11 horizontalement* + *2 verticalement.*)

Verticalement

1. Carré de (*1 horizontalement* + *4 verticalement* + *10 verticalement*).
2. (*7 horizontal inversé* + *1*) inversé.
3. Cube de *11 verticalement.*
4. (*7 verticalement* + *1*) renversé.
5. Carré de (*7 horizontalement* + *11 horizontalement* + *10 verticalement* + *11 verticalement*).
6. 3e et 4e chiffres de *3 verticalement.*
11. *11 horizontalement* moins 2.

1	2	3	4	5
6		7		
8				
9	10		11	
12				

Cercle de chiffres

La figure ci-contre est formée de trois cercles concentriques divisés en huit zones. La somme des trois nombres à un chiffre contenus dans chaque zone est égale à 15. En vous basant sur les indices ci-dessous, pouvez-vous remplir toutes les sections du cercle ?

Indices

1. Le seul 0 est situé dans le cercle extérieur, où il n'y a ni 1 ni 3. Il n'y a pas de 9 dans le cercle central et aucun chiffre n'est répété ni dans une même zone ni dans un même cercle.

2. Tous les chiffres des zones A et B sont impairs. Le chiffre figurant dans la partie extérieure de la zone B est supérieur de 1 au chiffre figurant dans la partie intérieure de la zone C et inférieur de 1 au chiffre figurant dans la partie centrale de la zone H, qui est supérieur de 1 à la partie intérieure de la zone H. Le chiffre figurant dans la partie intérieure de la zone B est inférieur de 1 au chiffre figurant dans la partie extérieure de la zone G.

3. Le 6 figurant dans le cercle extérieur est diagonalement opposé au 6 figurant dans le cercle intérieur.

4. Le chiffre figurant dans la partie intérieure de la zone C est le double du chiffre figurant dans la partie intérieure de la zone D. Le chiffre figurant dans la partie extérieure de la zone D est le double du chiffre figurant dans la partie centrale de la zone D. Le chiffre figurant dans la partie extérieure de la zone F est le double du chiffre figurant dans la partie centrale de la zone F, qui est le double du chiffre figurant dans la partie centrale de la zone G et le même que celui figurant dans la partie extérieure de la zone C. Le chiffre figurant dans la partie extérieure de la zone E est identique à celui figurant dans la partie centrale de la zone A.

Aide : commencez par découvrir le chiffre figurant dans la partie intérieure de la zone C.

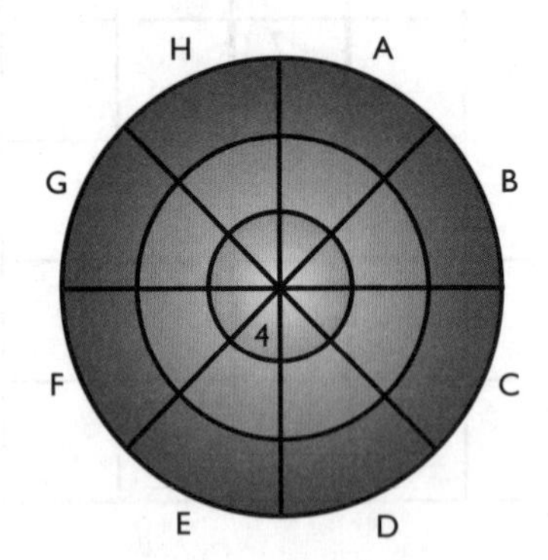

D'une île à l'autre

Chaque cercle représente une île. Votre objectif est de relier chacune d'elles verticalement ou horizontalement grâce à un pont. Vous devez respecter les règles suivantes :

- Chaque île possède un nombre de ponts égal au numéro qui y est inscrit.
- Deux îles peuvent être reliées par deux ponts à la fois.
- Un pont ne peut croiser un autre pont ou une île.
- Il existe un chemin continu qui relie toutes les îles.

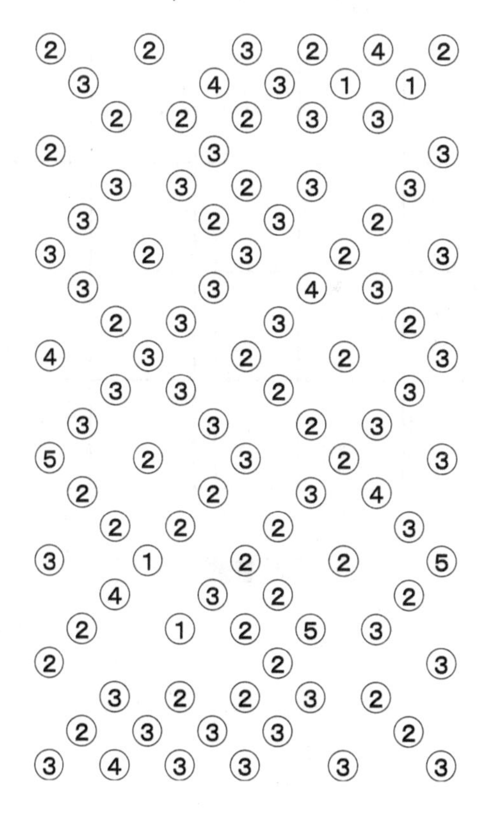

Cascade

Les chiffres figurant au-dessus de chaque colonne et à gauche de chaque rangée fournissent des indications sur les cases noires qu'elles contiennent. Par exemple, 2, 3, 5 signifie que la rangée ou la colonne contient, de gauche à droite ou de haut en bas, deux cases noires consécutives, puis au moins une case blanche, puis trois cases noires consécutives, puis au moins une case blanche, puis cinq cases noires consécutives. Les « séries » de cases noires doivent être séparées par au moins une case blanche. Pouvez-vous compléter cette grille et découvrir le dessin qu'elle dissimule ?

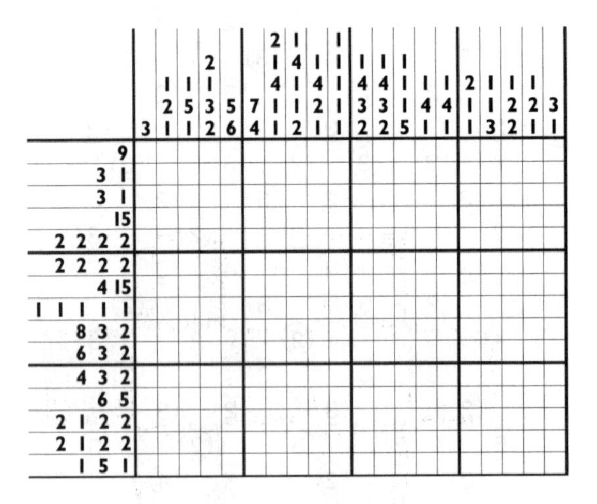

6

Treize

Chacune des cases blanches contient un chiffre différent compris entre 1 et 13. En vous basant les indices fournis, pouvez-vous remplir la grille ?

Indices

1. Aucun nombre à deux chiffres ne figure dans les rangées A et D, ni dans les colonnes 1 et 4.
2. Le 9 n'est pas situé dans un coin.
3. Le 6 est plus bas que le 2, dans la même colonne.
4. Le nombre E5 est inférieur de un au nombre A3.
5. Le 1 est sous le 12, en diagonale, à gauche, et au-dessus du 10, en diagonale, à droite.
6. Le nombre B4 est supérieur de deux au nombre D2.
7. Le 8 est plus haut que le 13, dans la même colonne.

Nombres : 1, 2, 3, 4, 5, 6, 7, 8, 9, 10, 11, 12, 13

Commencez par placer le 1.

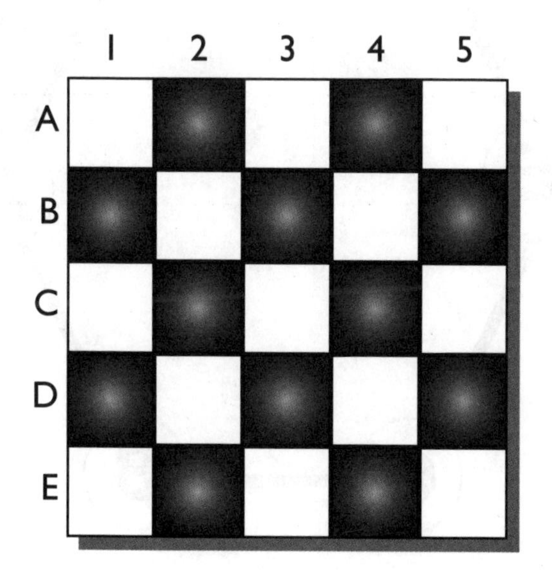

La sixième lettre

Laquelle des lettres suivantes doit apparaître dans le cercle mystère ?

1. H

2. Z

3. R

4. O

5. J

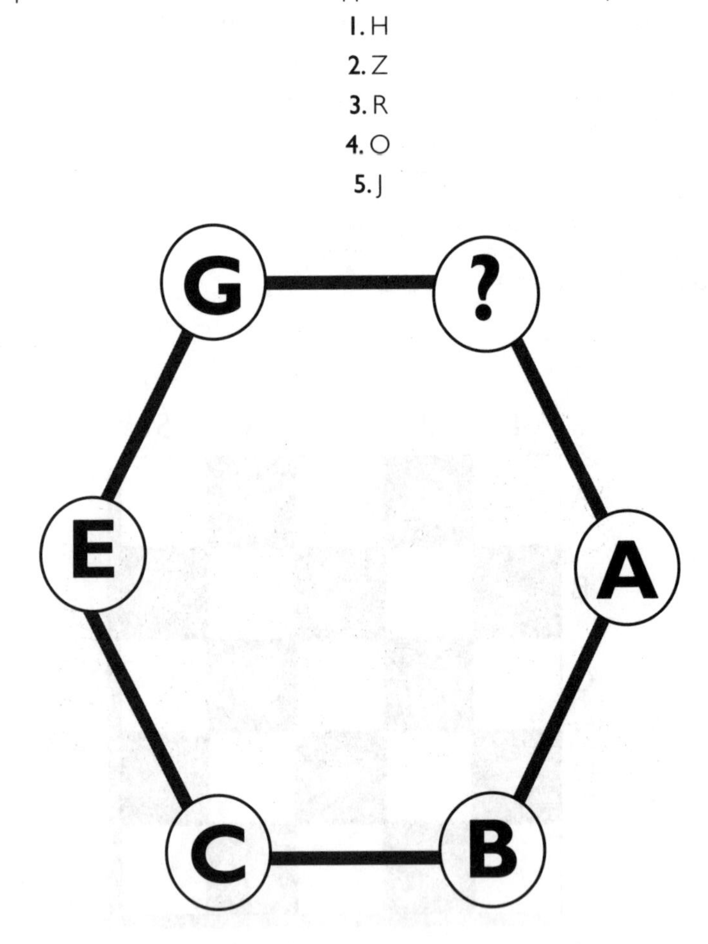

Joueur de flûte

Le dessin montre le joueur de flûte de Hamelin emmenant les enfants hors la ville pour punir ses habitants de leur pingrerie. En vous basant sur les indices fournis, pouvez-vous nommer chacun des quatre premiers enfants, préciser leur âge et la profession de leur père ?

Indices

1. L'enfant du berger est juste derrière Gretchen, qui a six ans.
2. Hans est plus jeune que Johann.
3. Le garçon en tête n'est pas immédiatement suivi par l'enfant du boucher.
4. L'enfant n° 3 a sept ans.
5. Maria, dont le père est apothicaire, est plus jeune que l'enfant n° 2.

Noms : Gretchen, Hans, Johann, Maria
Âges : 5, 6, 7, 8
Pères : apothicaire, boucher, berger, tailleur

Prénom : ....

Âge : ....

Père : ....

Commencer par rechercher la position de Gretchen.

Papa Tango Charlie

Les nombres 1 à 26 ont été attribués aléatoirement aux lettres de l'alphabet. Le nombre figurant en regard de chaque mot est la somme des valeurs des lettres qui le composent. Par exemple, dans le mot GOLF, G pourrait être égal à 12, O à 12, L à 20, F à 7… ou toute autre combinaison égale à 54. Complétez l'alphabet radio international en trouvant la valeur de ZULU.

ALPHA	68	NOVEMBER	64
BRAVO	59	OSCAR	56
CHARLIE	63	PAPA	48
DELTA	57	QUEBEC	68
ECHO	45	ROMEO	36
FOXTROT	68	SIERRA	54
GOLF	54	TANGO	53
HOTEL	52	UNCLE	50
INDIA	56	VICTOR	47
JULIET	75	WHISKEY	99
KILO	47	X-RAY	46
LIMA	30	YANKEE	65
MIKE	34		

Au cube

Cette grille contient les seize premiers nombres qui sont soit le carré, soit le cube (soit les deux !) des nombres 1 à 169 inclus. Chaque ligne et chaque rangée contient un nombre à un chiffre. Le chiffre à droite ou au-dessous indique le dernier chiffre de la somme des nombres figurant dans la colonne ou la rangée correspondante. C2 plus A4 égale C3 ; B4 plus D2 plus un égale A1 ; C3 est un nombre à trois chiffres ; tous les nombres de la colonne 1 sont impairs et tous ceux de la colonne 4 sont pairs ; A3 est égal à trois fois C1 et D2 est un multiple de A2.

Pouvez-vous remplir la grille ?

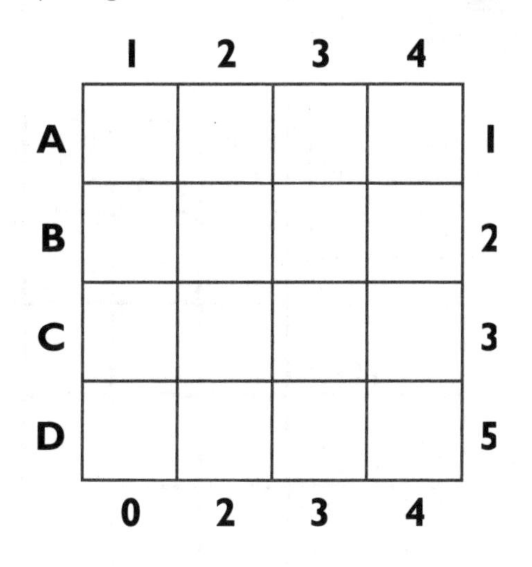

As en place

Toutes les cartes du 8 au roi, ainsi que l'as de cœur, doivent être placées dans cette grille. Les figures (8, 9, 10, V, D, R) et les couleurs (T, Ca, Co, P) sont indiquées au bout de chaque ligne et de chaque rangée. L'as de cœur est déjà placé dans la grille. Les deux cartes présentées en haut à gauche doivent être placées sur les cases roses. Pouvez-vous retrouver la place de chaque carte ?

10 P	R P	8 10 10 10 D	8 8 9 9 R	10 V D R R	9 9 V V D	8 V D R ~~A~~
		T T Ca Co Co	T Ca Co S S	T T Co Co S	T Ca P P P	Ca Ca Ca Co ~~Co~~
8 9 10 V R	T T Co Co P					
8 9 10 D D	T Ca Ca Ca P					
8 8 D R ~~A~~	T ~~Co~~ Co P P					A Co
10 V V V K	T Ca Co Co P		(case rose)			
9 9 10 D R	T Ca Ca Co P			(case rose)		

Pions et dés

Un jour de pluie, quatre jeunes filles jouent à un jeu de société. En vous basant sur les indices fournis, pouvez-vous retrouver le prénom de chacune d'elles, préciser la couleur de ses pions et le score qu'elle a obtenu lors de son dernier lancer de dé ?

Indices

1. Aucune fille n'a obtenu un score au dé correspondant au chiffre qui la désigne.
2. Rachel, qui a obtenu un 3, est la voisine, dans le sens des aiguilles d'une montre, de celle qui a choisi les pions jaunes.
3. Les pions rouges appartiennent à Thérèse.
4. La fille n° 2 a obtenu un 6.
5. Le pion bleu a été avancé de quatre cases ; il n'appartient pas à Angéla.
6. Yvonne n'est pas la fille n° 3.

Prénoms : Angéla, Rachel, Thérèse, Yvonne
Pions : bleus, verts, rouges, jaunes
Scores : 1, 3, 4, 6

Commencez par rechercher la couleur des pions de Rachel.

Stars universitaires

Dans un magazine, trois stars de la télévision évoquent leurs études universitaires et les projets qu'ils ont abandonnés pour poursuivre leur carrière médiatique. En vous basant sur les indices ci-dessous, retrouvez le nom de chaque femme, sa fonction à la télévision et le métier qu'elle avait choisi dans sa jeunesse.

Indices

1. Daniella n'a pas suivi d'études pour devenir enseignante.
2. Mme Kléber est l'animatrice du célèbre jeu du samedi soir.
3. Laura est journaliste. Elle présente le journal de 20 Heures chaque soir de la semaine.
4. Suzanne Nivert n'a jamais nourri l'ambition de devenir infirmière.
5. La star qui voulait devenir enseignante ne présente pas l'émission de variétés.

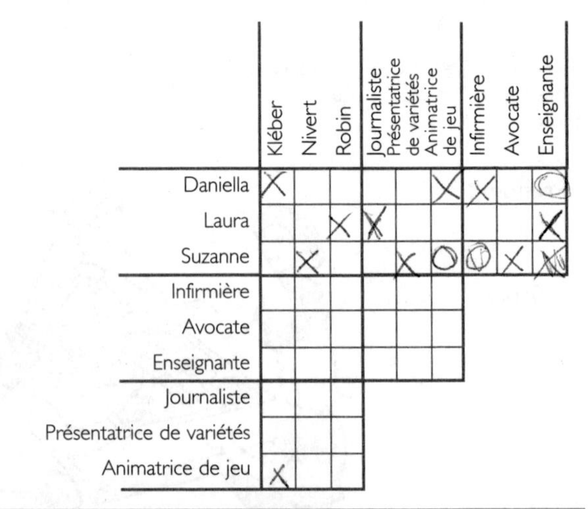

Prénom	Nom de famille	Profession	Domaine d'études

Bien vu

Le chiffre figurant dans chaque cercle indique combien de ses voisins doivent être remplis, le cercle où figure le chiffre étant lui-même compris dans ce nombre.

Dans l'exemple A, le zéro est un point de départ. Barrez-le, ainsi que ses voisins (B). Trois cercles peuvent à présent être remplis (C), légèrement, car les chiffres doivent rester lisibles.

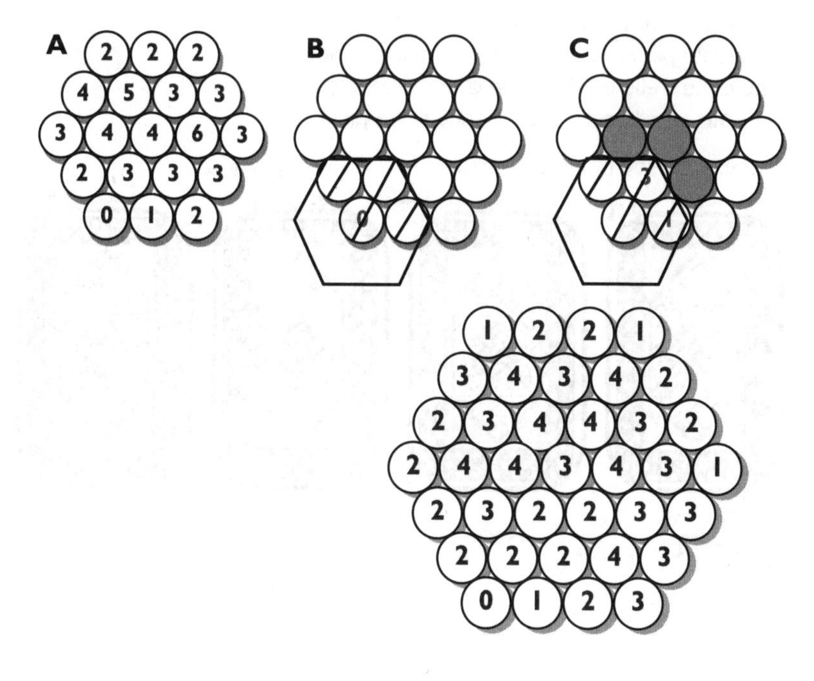

Ordre protocolaire

Ces quatre cartes ont été tirées d'un jeu contenant les huit rois et dames. Dans les indices suivants, « à droite » et « à gauche » désignent les cartes situées directement à droite ou à gauche.

Un roi se trouve à droite d'un roi.
Un roi est à gauche d'une dame.
Une dame est à gauche d'un roi.
Une dame est à droite d'une carte pique.
Une carte pique est adjacente à une carte pique.
Une carte trèfle est à gauche d'une carte cœur.
Une carte trèfle est à droite d'une carte pique.

Pouvez-vous identifier chaque carte ?

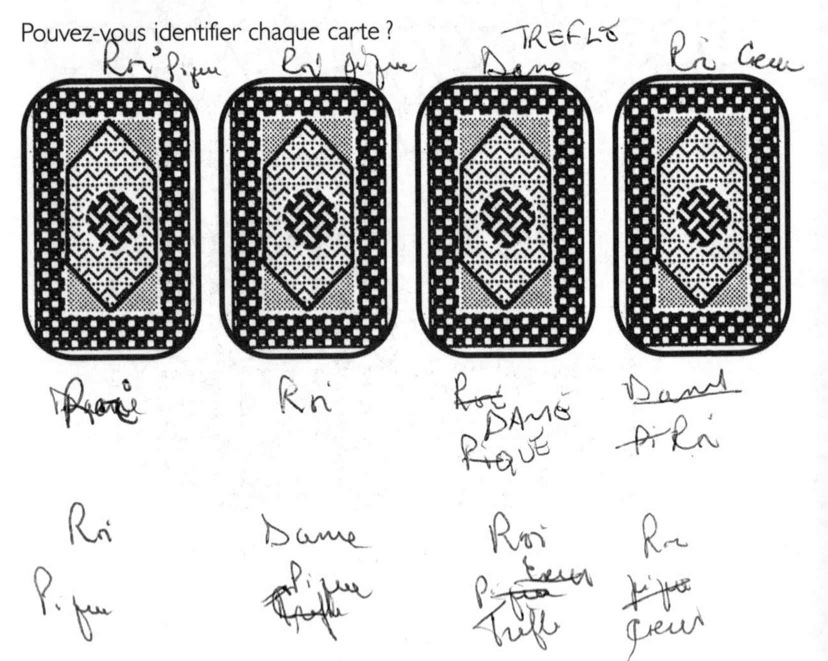

Huit jetons

Pour résoudre cette énigme, munissez-vous de huit jetons et du plateau de votre jeu d'échecs. Placez vos jetons de façon qu'un seul d'entre eux se trouve dans chaque rangée, colonne et diagonale. Exemple : si vous placez un jeton dans la case A3, vous ne pouvez plus placer le moindre jeton dans la colonne A, dans la rangée 3 et dans la diagonale A3-F8.

Posez vos huit jetons en respectant cette règle et en faisant en sorte que la somme des nombres attribués aux cases choisies soit la plus élevée possible. Quel score pouvez-vous obtenir ?

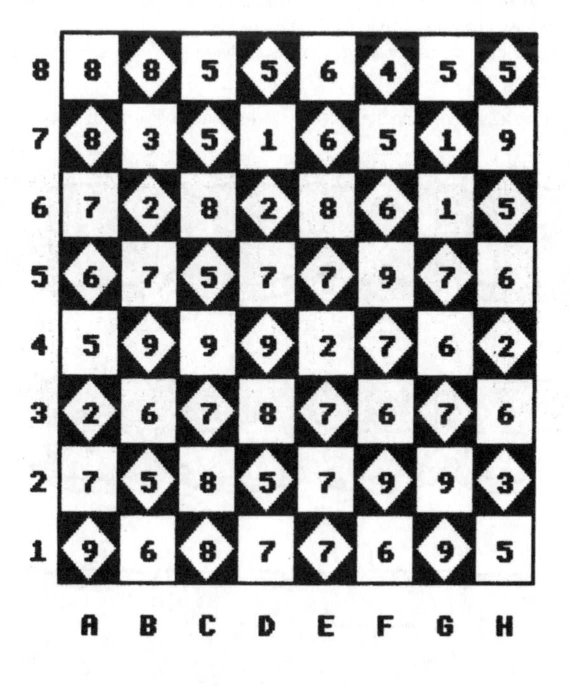

	A	B	C	D	E	F	G	H
8	8	8	5	5	6	4	5	5
7	8	3	5	1	6	5	1	9
6	7	2	8	2	8	6	1	5
5	6	7	5	7	7	9	7	6
4	5	9	9	9	2	7	6	2
3	2	6	7	8	7	6	7	6
2	7	5	8	5	7	9	9	3
1	9	6	8	7	7	6	9	5

Comme dans un fauteuil

Le schéma représente les quatre fauteuils centraux des trois premières rangées d'un théâtre. En vous basant sur les indices fournis, pouvez-vous remettre chaque spectateur à sa place ?

Indices

1. Pierre est assis juste derrière Angéla, quelque part en diagonale devant Henri.
2. Nina occupe le fauteuil 12, rangée B.
3. Dans chaque rangée, les quatre fauteuils sont occupés par deux hommes et deux femmes.
4. Marianne est assise deux places à droite de Robert dans la même rangée.
5. Judith, qui se trouve juste derrière Charles, est assise juste à gauche de son mari Vincent.
6. Un homme est assis dans le fauteuil 13 de la rangée A.
7. Thierry, Jeannette et Lydie sont dans des rangées différentes, cette dernière ayant un homme juste à sa gauche.

Noms : Angéla, Charles, Henri, Jeannette, Judith, Lydie, Marianne, Nina, Pierre, Robert, Thierry, Vincent

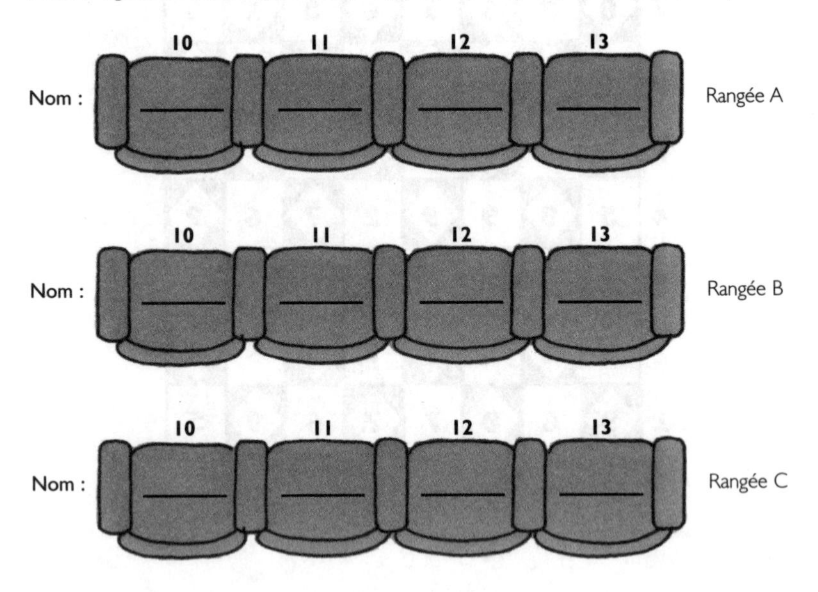

Commencez par identifier l'homme assis dans le siège 13 de la rangée A.

La course du cube

Les symboles figurant sur le cube ont chacun une signification : haut, bas, droite ou gauche. Chaque symbole a une signification identique sur chacune des trois faces. En suivant ces règles, il existe un chemin menant de la case départ (D) à la case arrivée (A) et qui passe par les trois faces. Parviendrez-vous à le retrouver ?

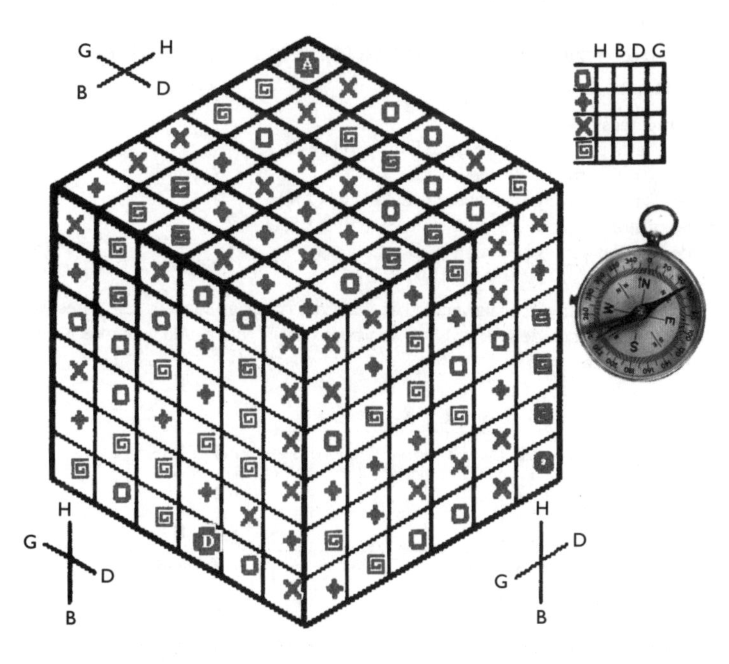

Écho alphabétique

Chaque lettre de l'alphabet doit apparaître deux fois dans la grille. Il y a aussi quatre cases vides. Horizontalement, verticalement et en diagonale, une lettre n'apparaît jamais plusieurs fois de suite et les lettres ne se succèdent jamais dans l'ordre alphabétique (A et Z ne sont pas considérées comme deux lettres consécutives). En dessous de chaque colonne et à droite de chaque rangée figurent deux chiffres : le chiffre noir indique le nombre de voyelles figurant dans la ligne ; le chiffre en couleur indique combien de lettres de la ligne font partie de la première partie de l'alphabet (A à M). Reconstituez la grille en vous basant sur les indices ci-dessous.

Lettres répétées :

Dans les quatre premières rangées : D, F, M, P, S, U, Y
Dans les quatre dernières rangées : A, C, L, O, Q, T
Dans les quatre premières colonnes : B, D, G, K, N, Q, R, V
Dans les quatre dernières colonnes : C, E, H, I, M, O, P, S, U, X, Z
Dans des rangées successives : D, F, M, O, P, Q, S, U, Y
Dans des colonnes successives : B, H, I, K, X, Z

JRY et FIR se lisent en diagonale vers le bas. L'une des colonnes contient trois cases vides mais aucune dans la colonne de gauche. Un G se trouve dans la colonne du haut mais il n'y a aucun B dans la rangée 6.

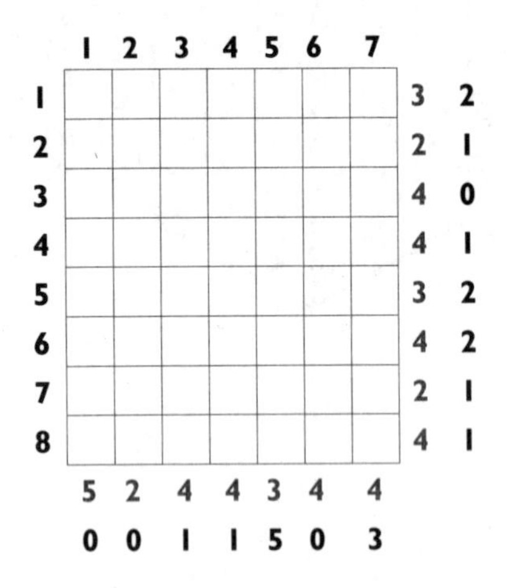

Bien vu

Le chiffre figurant dans chaque cercle indique combien de ses voisins doivent être remplis, le cercle où figure le chiffre étant lui-même compris dans ce nombre.

Dans l'exemple A, le zéro est un point de départ. Barrez-le, ainsi que ses voisins (B). Trois cercles peuvent à présent être remplis (C), légèrement, car les chiffres doivent rester lisibles.

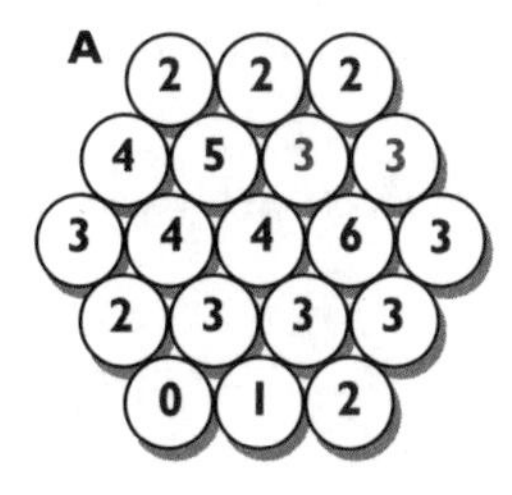

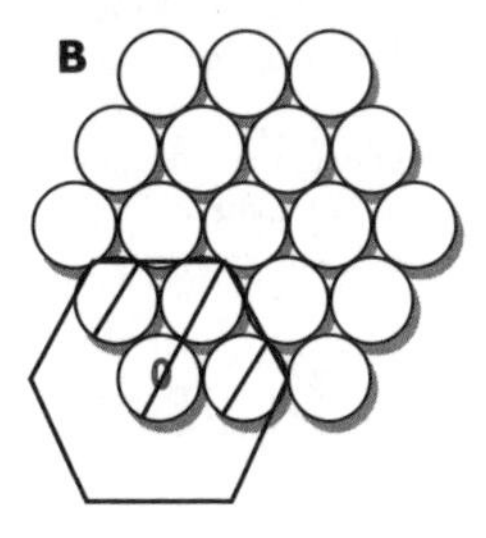

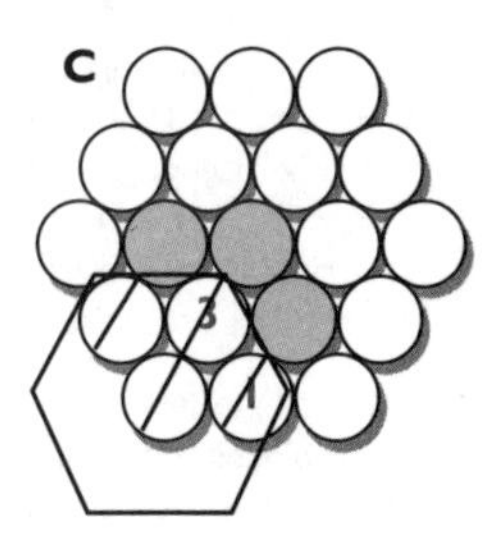

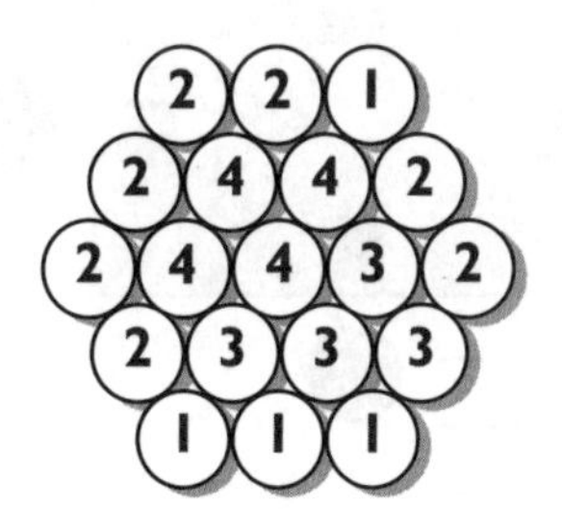

Les invités de Sylvie

Sylvie a invité trois de ses voisines habitant la même rue à déjeuner. À la fin du repas, chaque femme choisit un yaourt. En vous basant sur les indices suivants, pouvez-vous retrouver la position de chaque femme, à quel numéro de la rue elle habite et le yaourt qu'elle a choisi ?

Indices

1. Le déjeuner a lieu dans une maison au numéro impair.
2. Sylvie est assise en face de Jennifer, qui a choisi un yaourt à la cerise.
3. Le yaourt à la fraise a été choisi par la femme occupant la position 3, dont la maison n'est pas au numéro 11 de la rue.
4. La femme occupant la position 4 habite au numéro 20.
5. Le yaourt à la pêche a été choisi par la femme qui vit au numéro 15. Elle est la voisine de Rose, dans le sens inverse des aiguilles d'une montre.
6. Hélène n'est pas assise en position 2.

Noms : Hélène, Jennifer, Rose, Sylvie
Numéro d'habitation : 8, 11, 15, 20
Yaourts : cerise, pêche, ananas, fraise

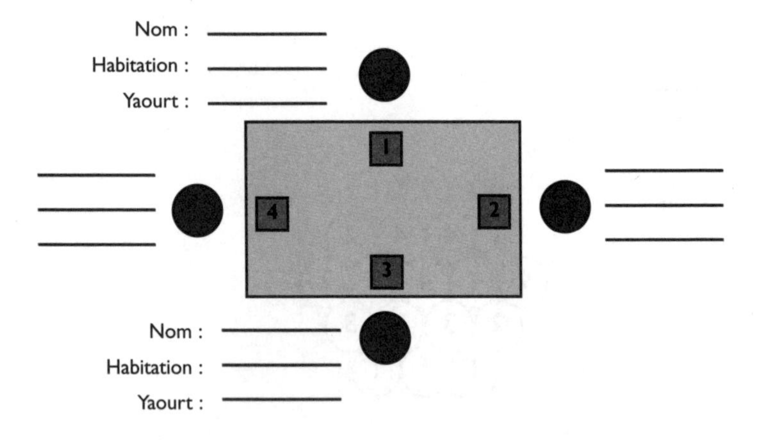

Commencez par chercher quelle femme est assise en position 2.

Bandit manchot

Cette machine à sous est très particulière. Le joueur doit reconstituer un code maqué par le mot « jackpot ». Lorsque le levier est actionné, une série de quatre fruits apparaît. En face de ces symboles apparaît une série de X et de O : un X indique que l'un des symboles correspond exactement au code ; un O indique qu'un symbole figure dans la combinaison mais qu'il n'est pas à la bonne place. Chaque joueur a droit à quatre essais. Découvrirez-vous la combinaison de la machine ci-dessous ?

Nombres fléchés

Chaque nombre figurant dans les cases sombres de la grille indique la somme des chiffres qui doivent être placés dans la direction de la flèche. Un seul chiffre peut être placé par case. Il n'y a pas de zéro. Un chiffre ne doit figurer qu'une fois par somme. Par exemple, la réponse au 8 fléché ne peut pas être 44. Une séquence de chiffres formant une somme ne peut apparaître qu'une fois dans la grille. Par exemple, si un 8 fléché est 53, aucun autre 8 fléché ne peut être 53 ou 35. Il s'agira d'autres chiffres, comme 71/17 ou 62/26. Utilisez votre logique, davantage que vos connaissances en mathématiques, pour compléter la grille.

	19	35	13		19	11		37	8	13
7				15			20/11			
21				24/15						
15			10/10			20/20				
	10/9				12/9				6	11
27							9			
13			22				21			

Manège

Ce manège, qui tourne dans le sens des aiguilles d'une montre, possède seize sièges numérotés, tous occupés.
1 est opposé à 9, 2 est opposé à 10, etc. Christine est opposée à Alice, dont le siège comporte un numéro à un chiffre qui n'est ni 1 ni 9 ; le numéro de Marie est inférieur de trois à celui de Jeanne, et celui d'Édith est inférieur de deux à celui de Georges.
Lorsque le manège tourne, Pierre est juste derrière Jérôme, dont le siège comporte un numéro inférieur de deux à celui de Danielle. Bernard est une place devant Thomas et opposé à Karine, dont le numéro est plus grand.
Frédéric est une place derrière Jacques, dont le numéro à un chiffre (qui n'est pas le 1) est inférieur de trois à celui de Charles.
Le numéro de Laurence est divisible par trois, et est supérieur de un à celui de Karine.
L'initiale du prénom de l'enfant occupant la place 1 figure avant celle de l'enfant occupant la place 16 dans l'ordre alphabétique. Les prénoms des enfants occupant les sièges 3, 10 et 14 ne commencent pas par J.
Le numéro du siège de Georges est un nombre premier supérieur à celui de Charles, qui n'est pas un nombre pair. 1 est considéré comme un nombre premier.

Pouvez-vous localiser chaque enfant ?

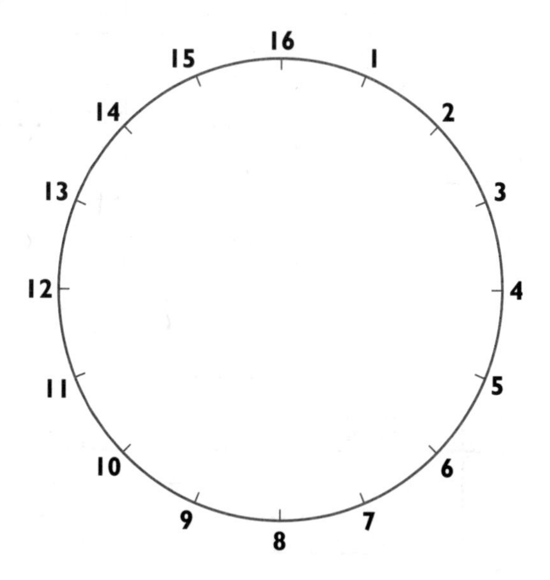

Artistes

Trois amies ont réalisé des œuvres représentant des lieux marquants du village qu'elles habitent. En vous basant sur les indices suivants, pouvez-vous identifier chacune de ces artistes, le lieu qu'elle a représenté et la technique qu'elle a employée ?

Indices

1. Mme Favier a choisi l'église du village pour sujet.
2. Rose, dont le nom de famille n'est pas Claudel, a réalisé une peinture à l'huile.
3. Le moulin est le sujet de l'œuvre réalisée à l'aquarelle, dont l'auteur n'est pas Nadine.
4. Le pont n'a pas été choisi pour sujet par l'artiste qui a réalisé son œuvre à l'encre de Chine.

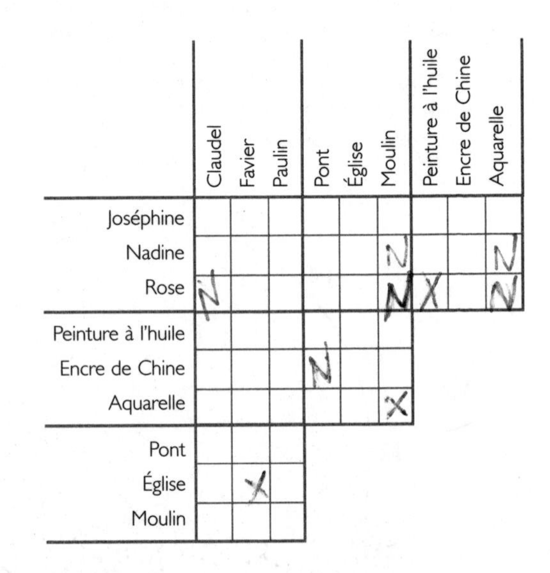

Prénom	Nom de famille	Sujet	Technique
Joséphine	Claudel	Moulin	aquarelle
Nadine	FAVIER	Église	encre de Chine
Rose	Paulin	pont	peinture à l'huile

Mont cubique

Six directions vous permettent de vous déplacer de la face d'un cube vers une autre face. Chaque direction a été remplacée par un numéro de 1 à 6. Pouvez-vous retrouver à quelle direction correspond chaque chiffre et vous hisser au sommet de la montagne ?

Quatre couleurs

Un professeur de mathématiques porte toujours quatre stylos de couleurs dans la poche de sa veste. Un élève, que les théories de Pythagore ennuient à mourir, remarque qu'aucun des stylos ne s'est trouvé à la même place du lundi au jeudi. En vous basant sur ses observations, retrouvez la place occupée chacun de ces jours par les différents stylos.

Indices

1. Lundi, le stylo bleu était juste à côté du rouge. Jeudi, le stylo rouge se trouvait juste à côté du stylo bleu.
2. Lundi, le stylo vert se trouvait à la place que le stylo rouge occupait mercredi et, mardi, à la place qu'occupait le stylo noir mercredi.
3. Mercredi, le stylo vert était une place plus à gauche que mardi et une place plus à gauche jeudi que lundi.
4. Mardi, le stylo rouge était le troisième en partant de la gauche.

Commencez par chercher la couleur du stylo en position D le jeudi.

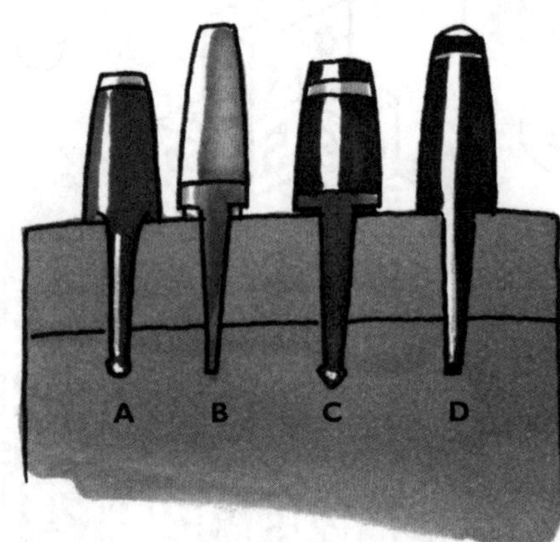

Lundi : ....

Mardi : ....

Mercredi : ....

Jeudi : ....

Équations fantômes

Placez les chiffres ci-dessous dans la grille de façon à former treize équations correctes sur les rangées horizontales. La somme des chiffres de chaque colonne verticale doit être égale à 45.

2 2 3 4 5 5 6 7 7 7 8 9 9 9

14 18 18 19 24 25 30 36 39 42 45 90 96

168 200 249 397 439 439 566 574 622 675 700

1089 1425 1711 2323 2587 2889 9991

10009 11545 36218 42546 69270 85092

					x		=					
				+				=				
2		+			+				=			
		x					=					
	+		+		+		−		÷		=	
					=			+				
			x			÷		=				
		−		−		+		÷			=	
	x						=					
				−				=				
		+			+				=			
			−				−			=		
		x			−				=			

Wanted

Les six bandes menant à l'hexagone central contiennent chacun trois nombres compris entre 1 et 18. En vous basant sur les indices ci-dessous, pouvez-vous remettre chaque nombre à s place ?

Indices

1. Le total des nombres les plus proches du centre est égal à 64.

2. Le nombre à un chiffre situé au centre de la bande A moins le nombre situé près de lui vers l'extérieur est égal au numéro situé à l'extrémité extérieure de la bande F.

3. Il y a deux chiffres pairs sur la bande E, l'un d'eux étant situé à l'extrémité extérieure, mais un seul sur la bande F.

4. Cinq est le chiffre situé le plus près du centre sur la bande D. Le 7 n'est pas sur la bande opposée.

5. Dix-sept et 12 sont séparés par le chiffre 1 sur l'une des bandes.

6. Le 10, qui est voisin du 16, est dans la même position relative que le 3, mais sur une bande différente. Le 6 est situé plus loin du centre que le 15, ces deux nombres étant situés sur des bandes adjacentes.

7. La bande C, qui ne contient qu'un nombre à deux chiffres, ne contient ni le 1 ni le 2, ce dernier chiffre ayant la même position relative que le 13 sur une autre bande.

8. Le nombre le plus élevé de la bande B n'est pas celui qui est situé le plus près du centre. Le numéro situé à l'extrémité extérieure est inférieur à celui situé le plus près du centre de la bande opposée, qui est supérieur de dix au nombre occupant la même position relative sur la bande F.

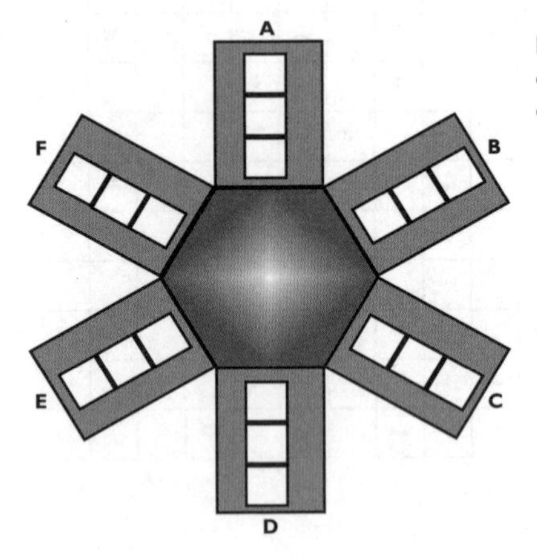

Pour commencer, essayez de trouver la bande évoquée dans l'indice 5.

Labyrinthe de lettres

Votre objectif est de franchir ce labyrinthe et d'atteindre la sortie située en haut. Chaque losange ne peut être traversé qu'une seule fois au cours d'un même mouvement et vous ne pouvez pas commencer un mouvement par la porte que vous venez de franchir. À chaque étape, vous ne pouvez pas pénétrer dans les losanges contenant des lettres à éviter.

1. Avancez de 4 losanges. Évitez A, C et F.
2. Avancez de 3 losanges. Évitez C, E et G.
3. Avancez de 5 losanges. Évitez A et E.
4. Avancez de 3 losanges. Évitez C.
5. Avancez de 4 losanges. Évitez C, D et E.
6. Avancez de 5 losanges. Évitez B et F.
7. Avancez de 5 losanges. Évitez C et G.
8. Avancez de 2 losanges. Évitez B.
9. Avancez de 2 losanges. Évitez A, C et G.
10. Avancez de 3 losanges. Évitez A, B et E.

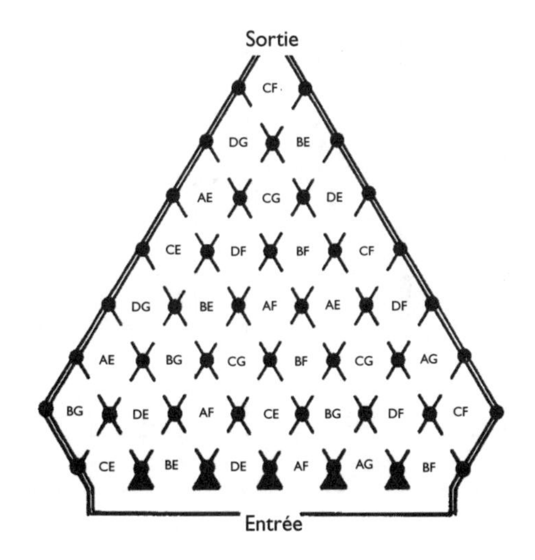

Chiffres croisés

Placez les chiffres 1 à 9 dans les cases vides de façon que la somme de chaque série horizontale ou verticale soit égale au nombre situé en haut ou à gauche de chaque bloc. Chaque chiffre ne peut être utilisé qu'une seule fois dans chaque bloc.

\	3\	30\	12\	\	35\	10\	17\	\	23\	18\	13\
\9				\10				\19			
\7				17\20				16\12			
\	16\30					16\27					16\
\13			7\30						16\16		
\21				16\20				4\21			
\	7\	11\9			3\	9\	\8			15\	23\
\26							11\16				
\3			24\	17\6				17\	24\16		
\21					\37						
\	16\	18\16			34\	4\	20\17			35\	5\
\23				3\7				4\16			
\12			17\18						23\11		
\	16\16					8\23					10\
\12				\23				\14			
\21				\9				\24			

Dominos

Un tirage de dominos est présenté ci-dessous. Chaque domino est présenté de façon que la valeur la plus élevée soit placée en dessous.

Exemple : 3 / 6 et non 6 / 3

Les chiffres supérieurs indiquent les quatre chiffres correspondant à la moitié supérieure de chaque domino dans la colonne correspondante. Les chiffres inférieurs, sous la grille, indiquent les quatre chiffres de la moitié inférieure de chaque domino dans la colonne correspondante. Les séries de sept chiffres sur la gauche indiquent les chiffres composant la rangée correspondante. Pouvez-vous déduire les valeurs de chaque domino en vous aidant de celui dont la valeur est indiquée ?

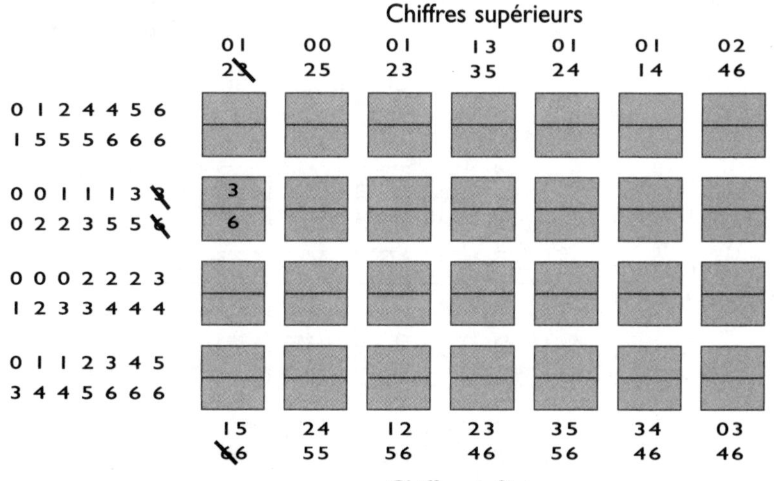

Dominos

Un tirage de dominos est présenté ci-dessous. Chaque domino est présenté de façon que la valeur la plus élevée soit placée en dessous.

Exemple : 3 / 6 et non 6 / 3

Les chiffres supérieurs indiquent les quatre chiffres correspondant à la moitié supérieure de chaque domino dans la colonne correspondante. Les chiffres inférieurs, sous la grille, indiquent les quatre chiffres de la moitié inférieure de chaque domino dans la colonne correspondante. Les séries de sept chiffres sur la gauche indiquent les chiffres composant la rangée correspondante. Pouvez-vous déduire les valeurs de chaque domino en vous aidant de celui dont la valeur est indiquée ?

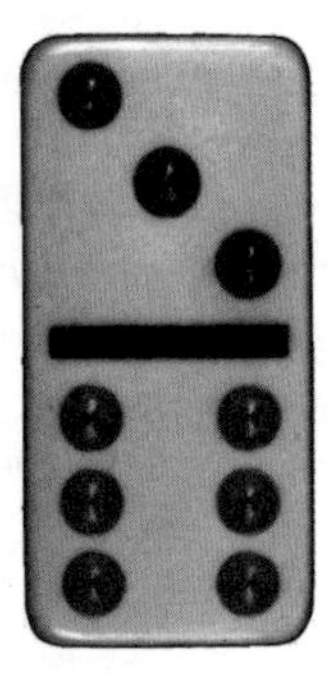

Chiffres supérieurs

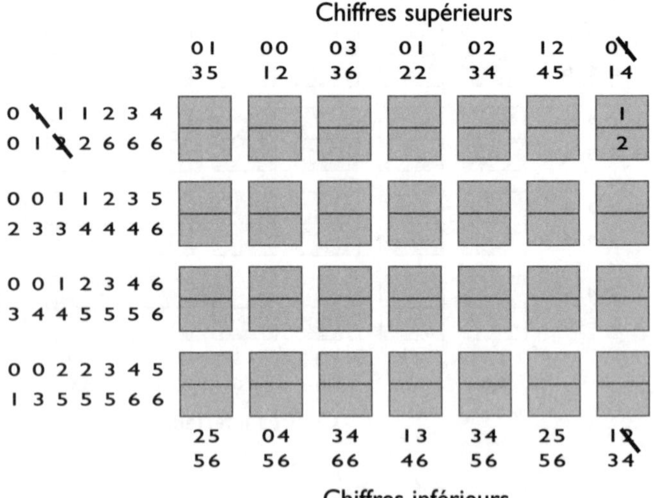

Chiffres inférieurs

Bridge

Quatre joueurs disputent une partie de bridge. Les deux partenaires de chaque équipe sont assis face à face. Chacun a en main une série de couleur et de longueur différente. En vous basant sur les indices fournis, pouvez-vous nommer chaque joueur, donner la couleur de sa série et en préciser la longueur ?

Indices

1. Roger a une série plus longue que la série de trèfles de son partenaire.
2. Thierry a une série plus longue que celle du joueur dont la suite est composée de carreaux.
3. La série du joueur placé au Sud comporte cinq cartes.
4. La suite du joueur placé à l'Est est composée de cœurs.
5. Patrick est le joueur placé au Nord.
6. Le partenaire de Bruno a la série la plus longue.

Joueurs : Bruno, Patrick, Roger, Thierry
Couleurs : trèfle, carreau, cœur, pique
Longueur : 5, 6, 7, 8

Commencez par rechercher la position de Roger.

Prénom : ....
Couleur : ....
Longueur : ....

N

Prénom : ....
Couleur : ....
Longueur : ....

O E

Prénom : ....
Couleur : ....
Longueur : ....

S

Prénom : ....
Couleur : ....
Longueur : ....

Danse des nombres

Remplissez la grille avec les nombres ci-dessous.

3 chiffres

106
204
301
567
605
723
818
919

4 chiffres

1010
1853
2380
3123
4017
4190
5111
6037
7283
8093
8866
9171

5 chiffres

41528
43150
55073
60523
71375
81797
90173

6 chiffres

105921
166927
224466
299102
337473
344353
403044
413013
513397
523149
620732
668896
723378
789121
836343
977027

Dominos

Un tirage de dominos est présenté ci-dessous. Chaque domino est présenté de façon que la valeur la plus élevée soit placée en dessous.

Exemple : 3 et non 6
6 3

Les chiffres supérieurs indiquent les quatre chiffres correspondant à la moitié supérieure de chaque domino dans la colonne correspondante. Les chiffres inférieurs, sous la grille, indiquent les quatre chiffres de la moitié inférieure de chaque domino dans la colonne correspondante. Les séries de sept chiffres sur la gauche indiquent les chiffres composant la rangée correspondante. Pouvez-vous déduire les valeurs de chaque domino en vous aidant de celui dont la valeur est indiquée ?

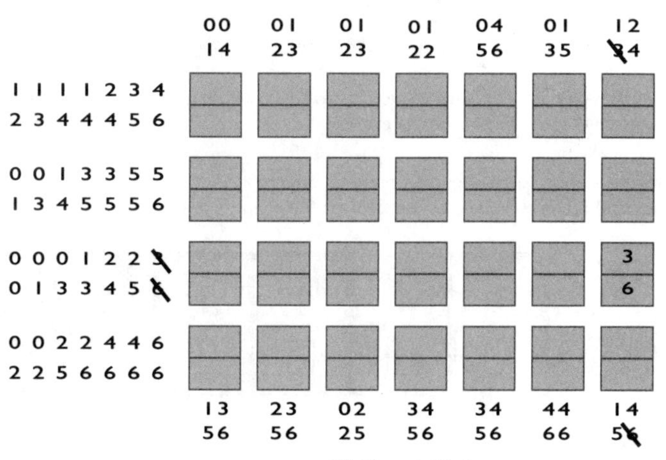

Boîtes de Pandore

Dans le cadre d'un jeu télévisé, les candidats gagnent le droit de choisir une boîte dont ils ignorent le contenu. Certaines contiennent des sommes importantes, d'autres des sommes insignifiantes. L'animateur du jeu s'efforce de les dissuader d'ouvrir leur boîte en leur proposant des sommes d'argent. Dans le cas suivant, tous les candidats ont refusé cet arrangement. En vous basant sur les indices fournis, pouvez-vous préciser dans quel ordre chacun des six candidats s'est qualifié pour choisir une boîte, laquelle il a choisi et son contenu ?

Indices

1. L'ordre de qualification des candidats ne correspond jamais au numéro inscrit sur leur boîte.
2. Lise, qui a ouvert la boîte 2, a gagné une somme d'argent inférieure à celle qu'a remportée Charlotte, qui s'est qualifiée plus d'un tour avant elle.
3. Michel, qui s'est qualifié juste après le candidat qui a remporté 100 euros, a ouvert une boîte située à plus d'une place à droite de celle du vainqueur.
4. La boîte contenant la savonnette est juste à gauche de celle du cinquième candidat ; la boîte de Gilles est plus à gauche que ces deux dernières.
5. Le candidat qui a gagné la cuiller en bois s'est qualifié juste avant celui qui a remporté 50 centimes ; la boîte contenant la cuiller est juste à droite de celle qui contient 1 000 euros.
6. Suzanne a ouvert la boîte située juste à droite de celle choisie par Robert, qui s'est qualifié juste après elle.
7. Les boîtes ouvertes par des hommes ne sont pas adjacentes ; le grand gagnant, qui a remporté 5 000 euros, est le seul dont la boîte se trouve entre celle d'un homme, à gauche, et celle d'une femme, à droite.

Candidats : Gilles, Lise, Michel, Robert, Charlotte, Suzanne
Contenues : 50 centimes, 100 euros, 1 000 euros, 5 000 euros, savonnette, cuiller en bois

Commencez par chercher quelle boîte contient 5 000 euros.

	1	2	3	4	5	6
Candidat :	....	....	....	....	....	....
Ordre :	....	....	....	....	....	....
Prix :	....	....	....	....	....	....

Danse des nombres

Remplissez la grille avec les nombres ci-dessous.

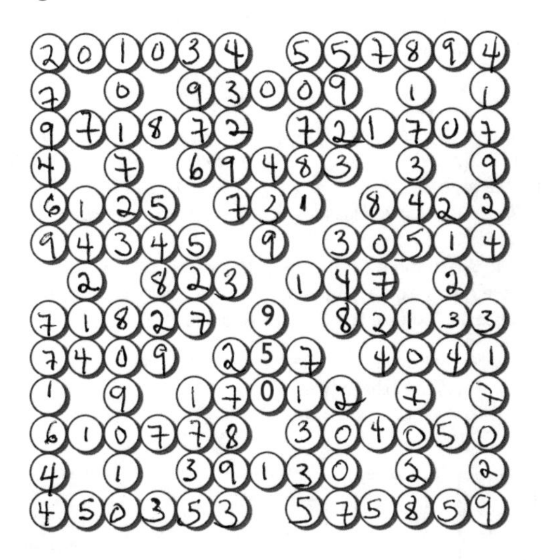

3 chiffres

147
257
348
439
527
731
823
950

4 chiffres

1735
2007
3976
4041
5923
6125
7409
8422

5 chiffres

14214
17012
21254
27893
30514
39130
43287
50781
54829
69483
71335
71827
80724
82133
93009
94345

6 chiffres

101723
107028
201034
279469
304050
317029
417924
450353
557894
575859
610778
721707
771644
809010
817345
971872

Photos de vacances

Au-dessus de sa bibliothèque, Alice a disposé six photographies de vacances. En vous basant sur les indices fournis, pouvez-vous indiquer le lieu et la date où chaque cliché a été pris ?

Indices

1. Aucune des photos n'est placée en position chronologique, de gauche à droite.
2. La photo prise au lac d'Annecy voisine celle prise en 1959 ; celle prise en Cornouailles est juste à droite de celle prise en 1963.
3. La photo prise à l'île de Ré, qui est plus ancienne que celle qui se trouve en position C, est à deux places à droite de celle prise en 1975.
4. La photo en position E a été prise juste après la photo en position C. Celle prise à Turin est plus récente que celle qui se trouve en position A, qui n'a pas été prise en Bretagne.
5. La photo D a été prise au cours de la même décennie que la B, mais à une date plus reculée.

Lieux : Assise, Cornouailles, Bretagne, île de Ré, lac d'Annecy, Turin
Dates : 1959, 1963, 1971, 1972, 1975, 1979

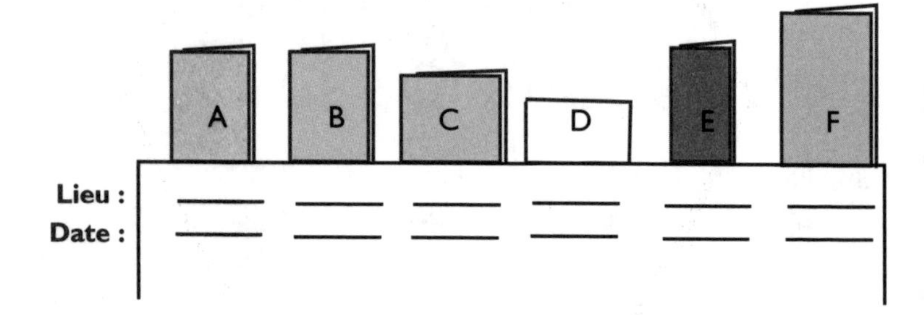

Commencez par rechercher la position de la photo prise en 1959.

Hexagones

En plaçant des chiffres de 1 à 9 dans les espaces libres, faites en sorte que la somme des chiffres contenus dans chacun des seize hexagones soit égale à 25. Un chiffre ne peut pas apparaître deux fois dans un même hexagone.

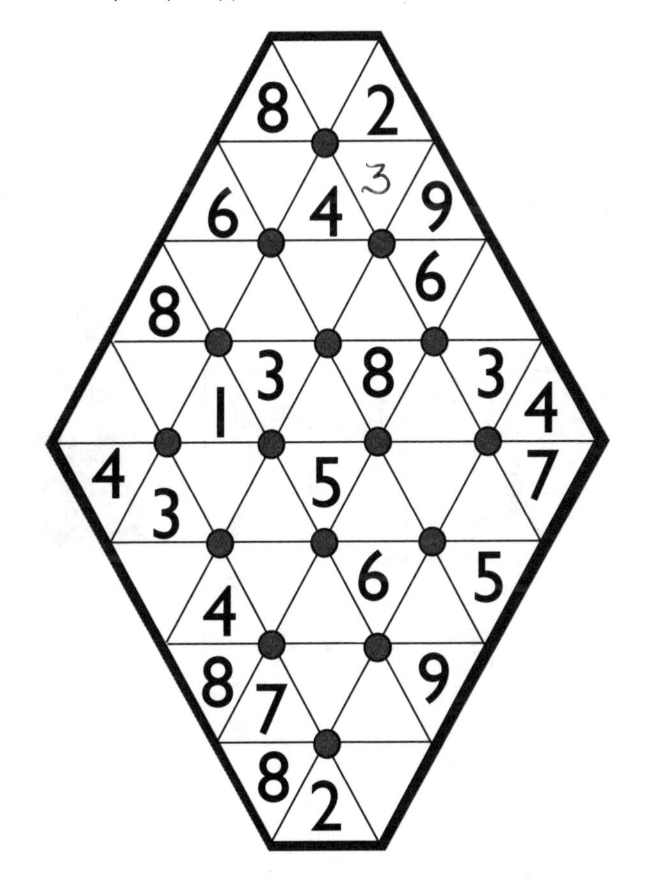

C'est magique

Complétez ce carré magique avec les nombres 39 à 63 inclus. Si vous considérez que la grille est divisée en dix colonnes ne contenant que des chiffres, les chiffres pairs de la première colonne, les chiffres impairs de la deuxième, les chiffres pairs de la troisième, etc., sont déjà dévoilés. Remplissez la grille de façon que la somme des cinq nombres dc chaque rangée, colonne et diagonale suit égale au nombre magique, soit… (fermez les yeux si vous préférez l'ignorer)… 255.

45			61	43
9	41	4		7
3	5	6	9	4
4	4	1		6
	63	4	47	49

Timbres

Une nouvelle série de timbres a été émise à Philatélia. Quatre d'entre eux sont présentés ici. En vous basant sur les indices fournis, pouvez-vous décrire chaque timbre, retrouver sa valeur et précise en quelle couleur sont imprimés son motif et son nombre ?

Indices

1. Le chiffre 5 n'apparaît en marron sur aucun des timbres.
2. Le timbre représentant une cathédrale, dont la valeur comporte un zéro, est juste à droite du timbre au motif marron.
3. La valeur du timbre 4 comporte un 1 ; le timbre 3 ne représente pas un port.
4. Le timbre à 15 centimes est juste au-dessus ou au-dessous du timbre bleu.
5. Le timbre dont le motif apparaît en rouge comporte la valeur directement supérieure à celui qui représente une montagne, qui n'est pas le 1.

Commencez par chercher la valeur du timbre marron.

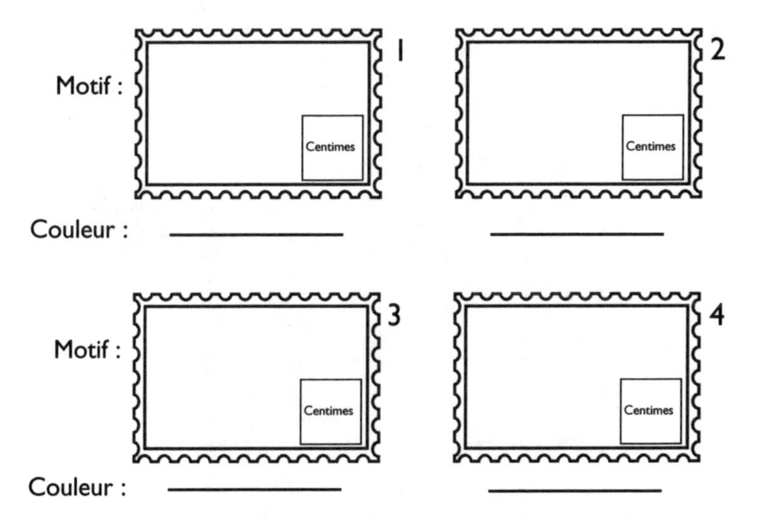

Motifs : cathédrale, port, montagne, chute d'eau
Valeurs : 10, 15, 25, 50
Couleurs : bleu, marron, vert, rouge

Vingt sur vingt-cinq

Vingt des vingt-cinq cases de ce diagramme contiennent chacune un nombre différent compris entre 1 et 20, tandis que les cinq autres contiennent un zéro. En vous basant sur les indices fournis, pouvez-vous remplir la grille ?
NB : les mots nombre et chiffre ne désignent jamais le zéro.

Indices

1. Aucune rangée, colonne ou diagonale (longue ou courte) ne contient plus d'un zéro.
2. Le 19 en B3 est le seul nombre à deux chiffres de la rangée ; le 7 est le seul nombre à un chiffre de la rangée 2.
3. Le 9 est juste sous le 16, et juste à gauche du 12.
4. La somme des nombres de la colonne E est égale à 45, et celle des nombres de la rangée 2 est égale à 51.
5. A4 est supérieur de cinq à E5, qui est lui-même supérieur de un à C2.
6. Le 11 est juste à droite du 5 de la rangée 4 ; le 2 est situé dans une rangée plus haute que le 4.
7. Le 17 est dans la colonne D, quelque part sous un zéro, et quelque part au-dessus du 8.
8. Les quatre nombres de la colonne C sont tous des nombres pairs, mais le 18 n'y figure pas.
9. Le nombre 1 est dans la rangée 5, et le 6 dans la rangée 1.
10. Le 10 est dans la même colonne que le 3, mais placé plus haut.

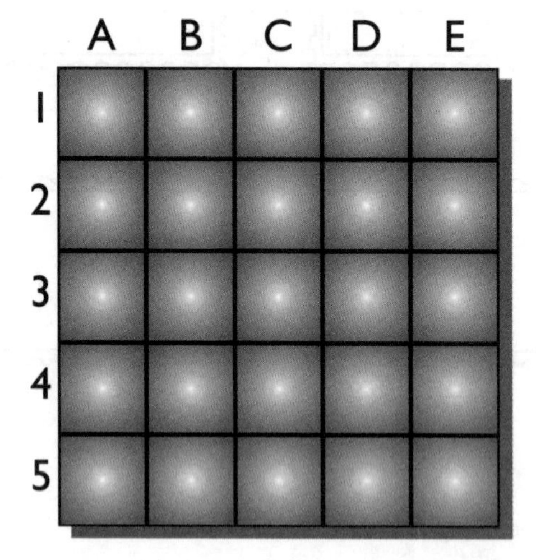

Commencez par placer le 9.

Logiquations

Les chiffres de 1 à 9 sont représentés par des lettres. Pouvez-vous retrouver la valeur de chaque lettre de façon que tous les calculs horizontaux et verticaux tombent juste ?

Indice : AC est un carré.

ABC	×	**DE**	=	**EFCE**
+		+		–
GHJG	–	**EDH**	=	**GKGF**
FDEB	–	**EFJ**	=	**GGDA**

A	B	C	D	E	F	G	H	J	K

Château hanté

Un château comporte quatre tours. Chacune d'elles abrite une pièce hantée. En vous basant sur les indices fournis, pouvez-vous noter sur le plan le nom de chaque tour, sa pièce hantée et le fantôme qui s'y manifeste ?

Indices

1. La chambre du roi est dans la tour C.
2. Le cachot de la sorcière est, bien entendu, dans la tour de la sorcière, dont la lettre sur le plan succède à celle de la tour neuve dans l'ordre alphabétique. C'est dans cette dernière que la princesse Édith hante les lieux de son propre meurtre.
3. La salle des soupirs n'est pas dans la tour du Dragon.
4. Le spectre de frère Luc apparaît dans la tour A. La tour B n'est pas hantée par le comte Ivan, et n'abrite la salle du trésor.

Tours : tour noire, tour du dragon, tour neuve, tour de la sorcière
Pièces : chambre du roi, cachot de la sorcière, salle du trésor, salle des soupirs
Fantômes : frère Luc, princesse Édith, comte Ivan, Margaret

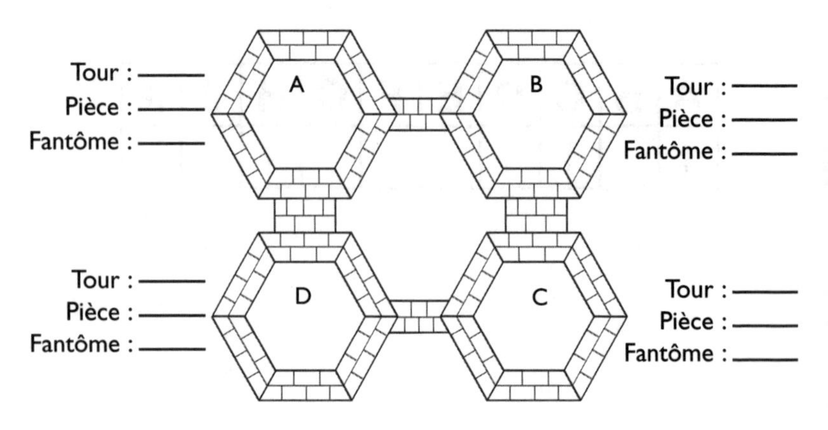

Commencez par localiser la tour de la sorcière.

Nombres fléchés

Chaque nombre figurant dans les cases sombres de la grille indique la somme des chiffres qui doivent être placés dans la direction de la flèche. Un seul chiffre peut être placé par case. Il n'y a pas de zéro. Un chiffre ne doit figurer qu'une fois par somme. Par exemple, la réponse au 8 fléché ne peut pas être 44. Une séquence de chiffres formant une somme ne peut apparaître qu'une fois dans la grille. Par exemple, si un 8 fléché est 53, aucun autre 8 fléché ne peut être 53 ou 35. Il s'agira d'autres chiffres, comme 71/17 ou 62/26. Utilisez votre logique, davantage que vos connaissances en mathématiques, pour compléter la grille.

	11	19	17		6	18	21	16	11	8
14				39						
24				23/13						
15					7/18				20	6
	10	22/20					8/22			
18				8/10				11/12		
4			14/9			18/11				
18					21/14				10	17
	12	11/23					15/16			
9				10/16				12/29		
10			12/21			13/9				
30					9/17				19	11
	10	12/7					13/5			
33						18				
15						28				

Solutions

Page 5

A 12, B 20, C 4, D 8, E 16, F 18, G 9, H 11, J 14, K 21, L 10, M 2, N 23, P 5, Q 17, R 7, S 1, T 15, U 13, V 3, W 6, X 24, Y 19, Z 2.

Page 6

MÉTHODE	PRÉNOM	NOM	SOCIÉTÉ
Acupuncture	Elsa	Perrier	Électroménager
Boules	Élise	Dubois	Assurances
Sitar	Nathan	Tussaud	Banque
Yoga	Valéry	Hulot	Informatique

Page 7

Ramona, vert, Philippe Martin.
Remus, rouge, Georges Kant.
Ricky, gris, Claudia Serre.
Romulus, bleu, Sylvie Lévy.
Roxaïne, jaune, Grégory Janvier.

Page 8

	Eagle	Birdie	Par	Bogey	Double Bogey	Score final
Patrick	3	5	7	2	1	65
Nicolas	1	4	8	3	2	73
Bruno	2	7	5	1	3	68

Page 9

C		D	B		A
	B	C	A	D	
A			C	B	D
B	A		D		C
D	C	B		A	
	D	A		C	B

Page 10

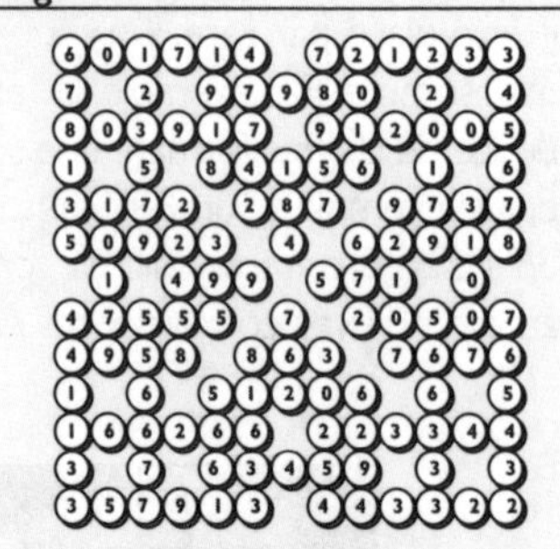

Page 11

Page 12

		1	3				8	7		
	3	2	1	5		2	6	8	5	
3	5	4	2	1		5	9	6	8	7
4	1		6	3	2	1		9	6	8
1	2	3	4		1	3	6		7	9
	4	2		1	3		8	7	9	
		4	1	2		7	9	8		
	2	1	3		5	9		9	6	
1	3		2	4	1		7	5	9	8
2	1	3		2	3	1	4		7	9
4	6	2	1	3		5	9	7	8	6
	4	5	2	1		3	6	8	4	
		1	3				8	9		

Page 13

Daily News	orgie	sauvage
Evening Echo	java	réussie
Morning standard	bacchanale	démente
Sunday Argus	sauterie	hilarante
Weekly Chronicle	soirée	scandaleuse

Page 14

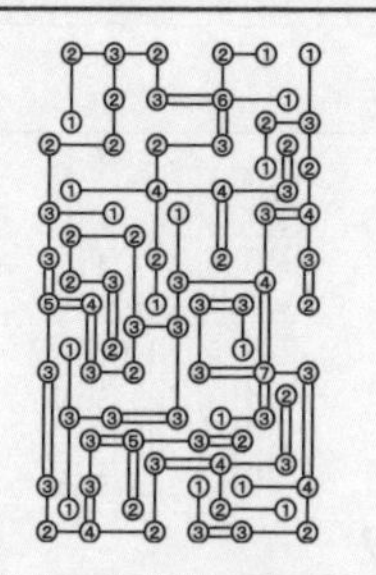

Page 15

8	1	1	8	1	8
4	5	6	6	7	3
5	7	6	5	5	3
7	4	6	3	2	2
3	3	1	3	8	2
2	5	6	2	3	5
1	7	1	4	7	7

Page 16

3	6	8	4	4	0	4
6	2	5	9	0	3	3
8	5	6	2	7	5	1
4	9	2	4	8	4	3
4	0	7	8	0	2	1
0	3	5	4	2	4	3
4	3	1	3	1	3	2

Page 17

Nom	Maison	Voisin	Maison	Problème
Barnier	Mon désir	Chabot	Sans souci	Limaces
Carrier	Petit nid	Hatier	Chez nous	Tapage
Dubois	Nous deux	Favier	Ouf ça y est	Chats
Garnier	Ker tranquille	Perrier	Sam'suffit	Clôture
Moulin	Mon caprice	Bouvier	Mon bon plaisir	Arbre

Page 18

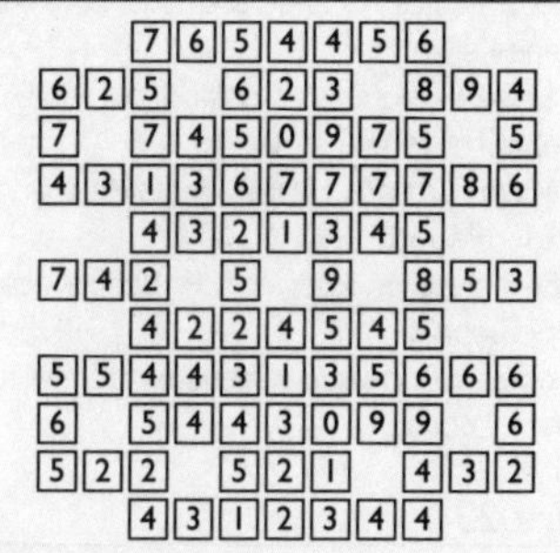

		7	6	5	4	4	5	6		
6	2	5		6	2	3		8	9	4
7		7	4	5	0	9	7	5		5
4	3	1	3	6	7	7	7	7	8	6
		4	3	2	1	3	4	5		
7	4	2		5		9		8	5	3
		4	2	2	4	5	4	5		
5	5	4	4	3	1	3	5	6	6	6
6		5	4	4	3	0	9	9		6
5	2	2		5	2	1		4	3	2
		4	3	1	2	3	4	4		

Page 19

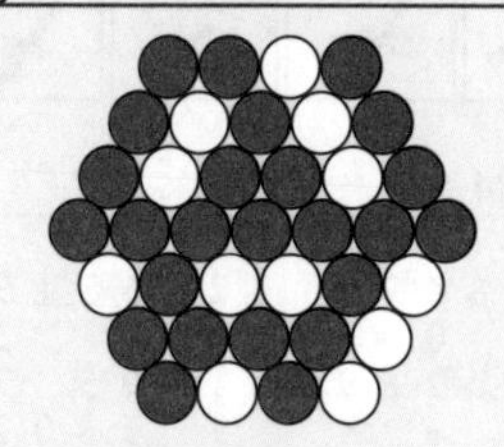

Page 20

C		D		B	A
A	D	B		C	A
B	C		A	D	
D	A		B		C
		C	D	A	B
	B	A	C		D

Page 21

2e étage : Estienne • Imbert • Nodier • Nodier
1er étage : Alibert • Meunier • Kahn • Barbier
RdC : Hébert • Dubois • Dubois • Fabre

Page 22

1er et 2e étages : Chapuis & Chabert, éditeurs, Jeanne Keller.
3e étage : Roquet & Rouland, comptables, Sophie Thévenet.
4e étage : Lorin & Hardy, agents de change, Gaëlle Hébert.
5e et 6e : étages, Koegler & Robert, avocats. Anne Lenoir.
7e étage : Bernier & Chenaux, architectes, Karine Lebrun.

Page 23

Page 24

	7	2	6	4	9	3		5	2	4	6	3	1	9
7		1		0		2			1		1			3
8	3	0	2	2	6	9		5	1	9	9	5		7
3		1		6		4			7		5	3	0	2
9	3	0	3		8	0	3	1	0	3		6		6
1		1		3	9	6			5	2	5	0	0	8
4			7		5		3	3	5	4		2		8
	9	3	8	1	1	8				8		4		
	5		1		0		1	4	3	8	1	1	6	
4	0	3	6	2	5		0			1			0	
1			3		5	8	6			3	2	1	6	5
1	2	8		1			3		2		5		3	
0		1	2	2	5	8	9		2	8	5		4	
7	9	3		1		6	2	3	3		1	8	0	9
4		9	2	8	5	1			7		0			

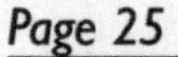

Page 25

	6	20	27	4		31	13	14
12	4	2	5	1	19 / 6	6	8	5
38	2	6	8	3	1	4	5	9
	13	4	9	12	5	7	12	14
19	7	5	3	4	20	5	9	6
19	6	3	2	8	20	9	3	8

Page 26

0	4	1	5	0	0	0
5	5	2	5	6	0	1
5	2	0	4	3	3	0
6	4	2	4	3	4	4
1	4	2	0	1	3	1
1	6	2	3	6	6	5
1	1	2	6	3	2	2
4	3	5	6	5	6	3

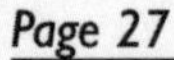

Page 27

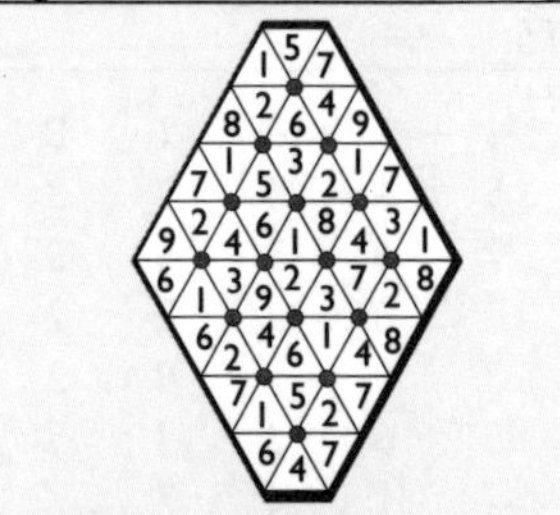

Page 28

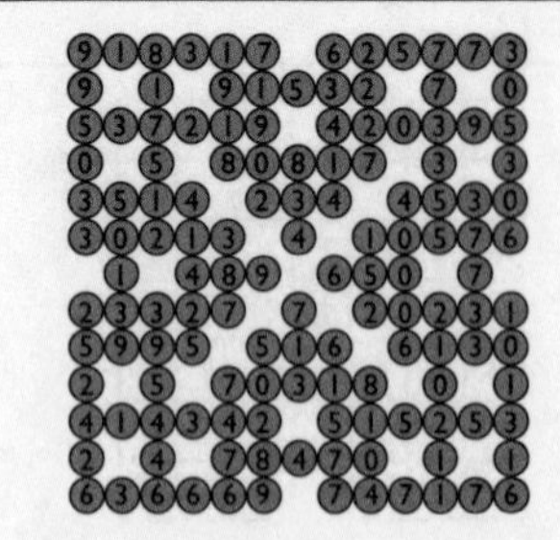

Page 29

Page 30

De	Leo	Ali	Max	Ugo	Guy
Léo Hébert		2	4	1	3
Ali Jacquet	3		2	4	1
Chris Faure	1	3		2	4
Ugo Imbert	4	1	3		2
Guy Garnier	2	4	1	3	

Page 31

La lettre en III est le B (indice 3) et le 5 est en I (indice 5). Donc la lettre en I n'appartient pas à la combinaison HAG, chacune de ces lettres étant associée à un chiffre pair (indice 1). La lettre II n'appartient pas non plus à cette combinaison. Nous savons maintenant que H n'est ni en I, ni en II, ni en III. Il ne peut pas non plus être en IV et V, car le B est en III (indice 1). La lettre VI est une voyelle (indice 6), ce qui exclut H en VI et VIII (indice 1) donc H est en position VII. L'indice 1 montre que A est en VI et G en V. Donc, le chiffre en II, qui est opposé à A, ne peut pas être 7, car, si c'était le cas, le chiffre en V serait 1 et celui en IV serait 8 (indice 4), mais l'indice 2 précise que le 7 et le 8 sont sur la même ligne. Donc, la ligne droite dont les deux extrémités comportent un chiffre romain pair évoquée par l'indice 2 ne peut être ni II-VI, ni IV-VIII. Donc, en fonction de l'indice 2, le 7 est en IV et le 8 en VIII. En fonction de l'indice 4, les chiffres en V et II, qui totalisent 7, sont soit 4 et 3, soit 6 et 1, puisque que nous avons déjà placé le 5 en I. Les trois chiffres en V, VI et VII sont pairs (indice 1), donc le nombre impair est en II. Ça ne peut pas être le 1 (indice 7), donc il s'agit du 3. En conséquence, le chiffre en V est le 4 (indice 4). VI et VII comportant tous deux un chiffre pair (indice 1), par élimination, le 1 est en III, donc, en fonction de l'indice 7, le C est en I. Il nous reste D, E et F à répartir en II, IV et VIII. En fonction de l'indice 8, D doit être en IV, F en II et E en VIII. L'indice 7 précise que le 6 ne peut pas être en VII, donc il se trouve en VI, et le 2 en VII.

Résumé :
Branche I : C, 5. Branche II : F, 3. Branche III : B, 1. Branche IV : D, 7. Branche V : G, 4. Branche VI : A, 6. Branche VII : H, 2. Branche VIII : E, 8.

Page 32

Roi, 7, 10, as, 8, 3, 9, dame, 4, valet, 6, joker, 2, joker, 5.

Page 33

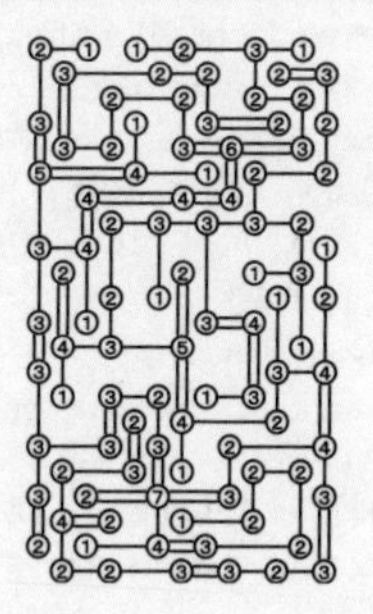

Page 34

Page 35

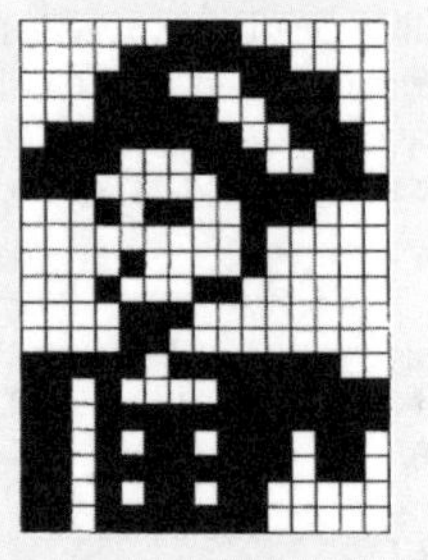

Page 36

Horizontalement

Un pique vaut un de plus qu'un carreau (rangées 1 et 3) et six de plus qu'un cœur (rangées 2 et 3) ; donc, un carreau vaut cinq de plus qu'un cœur. Donc (4) quatre cœurs + 5 + 6 = 35 ; donc, quatre cœurs = 24, donc un cœur = 6, un pique = 12 et un carreau = 11 (au-dessus), donc (2), un trèfle = 9.

Résumé : cœur = 6, trèfle = 9, carreau = 11, pique = 12.

Verticalement

Un cœur vaut huit de plus qu'un pique (colonne 2 et 3) et un carreau deux de plus qu'un pique (3 et 4). Donc (3), quatre piques + 10 = 46, donc quatre piques = 36, donc un pique = 9. Un cœur = 17 (au-dessus) et un carreau = 11 (au-dessus), donc (1) un trèfle = 15.

Résumé : cœur = 17, trèfle = 15, carreau = 11 et pique = 9.

Page 37

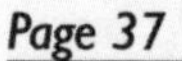

5	8	5	6	5
2	5	0	9	5
4	6	6	5	6
4	6	5	3	9
1	5	3	7	6

Page 38

E intérieur est 4, donc C intérieur, qui est un chiffre pair (indice 4), n'est ni 4 ni 8. S'il s'agissait d'un 2 et que 1 était le chiffre intérieur de D, en fonction de l'indice 2, B extérieur et H intérieur seraient tous deux 3 et, en fonction de l'indice 3, le 6 intérieur se trouverait sur G. C extérieur serait alors 6, tout comme F central (indice 4). Dans ce cas, F extérieur serait 12, ce qui est impossible. Donc, C intérieur est 6 et D intérieur est 3 (indice 4). Donc, en fonction de l'indice 2, B extérieur est 7, H central est 8 et H intérieur est 7, et ces deux derniers totalisant 15, H extérieur est 0. Le 6 intérieur se trouvant en C, le 6 extérieur est en G (indice 3) et B intérieur est 5 (indice 2). Le B central est 3. Nous savons que D intérieur est 3 donc, en fonction de l'indice 4, D extérieur est le double de D central, ces chiffres son respectivement 8 et 4. F extérieur est le quadruple de G central (indice

4) et, le cercle extérieur comportant déjà un 8, F extérieur est 4, G central est 1 et F central est 2. F intérieur est 9 et G intérieur est 8. C extérieur est 2 (indice 4) et C central est 7. Tous les chiffres intérieurs ont maintenant été placés à l'exception de A intérieur, qui est un chiffre impair (indice 2), et est donc 1. En A, les derniers chiffres sont 5 et 9 ; en fonction de l'indice 1, le 9 est A extérieur et le 5 est A central. E extérieur est 5 (indice 4) et E central est 6.

Résumé :
Dans l'ordre, extérieur, central, intérieur.
A : 9, 5, 1. **B** : 7, 3, 5. **C** : 2, 7, 6. **D** : 8, 4, 3. **E** : 5, 6, 4. **F** : 4, 2, 9. **G** : 6, 1, 8. **H** : 0, 8, 7.

Page 39

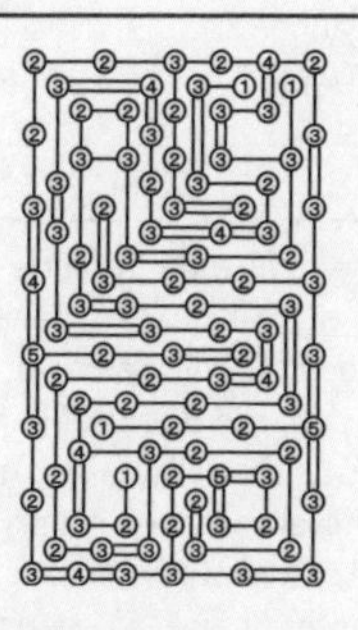

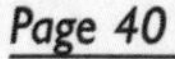

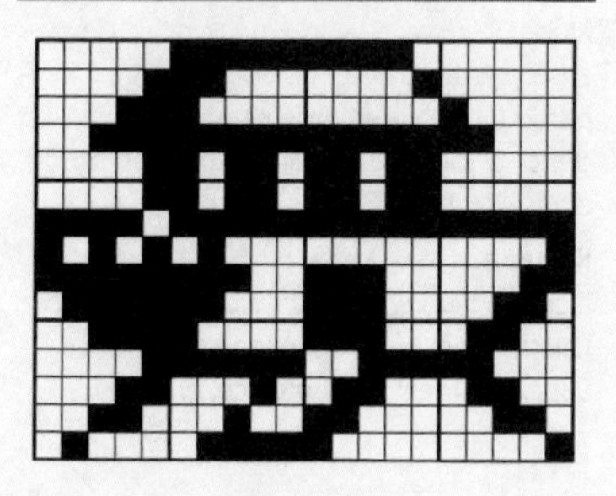

Page 41

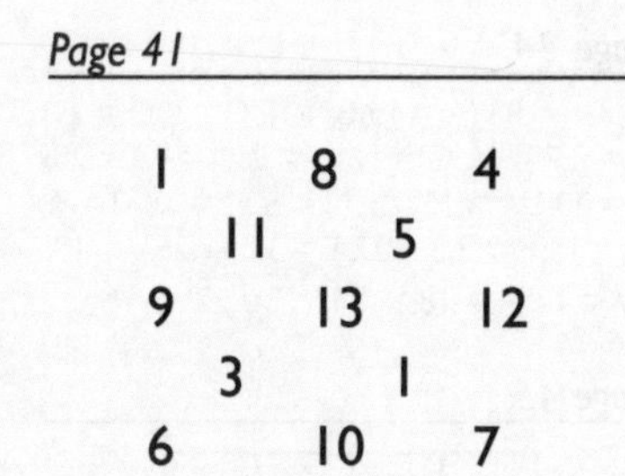

Page 42

O. En partant de A dans le sens des aiguilles d'une montre, les lettres comportent des lignes droites, puis les lignes droites et des courbes, puis uniquement des courbes.

Page 43

Gretchen, qui a 6 ans, ne peut pas être l'enfant 4 (indice 1), et l'enfant 3 a 7 ans (indice 4). L'enfant 1 est un garçon (indice 3), donc, par élimination, Gretchen est l'enfant 2. Donc, en fonction de l'indice 1, l'enfant 3 âgé de 7 ans est le fils du berger. Maria, dont le père est apothicaire (indice 5), ne peut pas être l'enfant 1 (indice 3), donc elle est l'enfant 4 et, en fonction de l'indice 5, elle a 5 ans ; l'enfant 1 a donc 8 ans. Donc, ce dernier n'est pas Hans (indice 2) mais Johann ; Hans est donc le fils du berger et il a 7 ans. En fonction de l'indice 3, le père de Gretchen n'est pas le boucher, donc il s'agit du tailleur ; Johann est donc le fils du boucher.

Résumé :
1, Johann, 8 ans, boucher. 2, Gretchen, 6 ans, tailleur. 3, Hans, 7 ans, berger. 4, Maria, 5 ans, apothicaire.

Page 44

ZULU = 83 (A = 15, B = 10, C = 4, D = 24, E = 7, F = 16, G = 17, H = 21, I = 6, J = 25, K = 20, L = 8, M = 1, N = 5, O = 13, P = 9, Q = 14, R = 2, S = 22, T = 3, U = 26, V = 19, W = 12, X = 18, Y = 11, Z = 23).

Page 45

81	8	27	144
49	125	1	16
9	25	169	100
121	64	36	4

Page 46

10 T	9 Co	R T	V P	8 Co
10 Ca	8 Ca	D T	9 P	D Ca
8 C	8 P	R Co	D P	A Co
10 Co	R P	V Co	V T	V Ca
D Co	9 T	10 P	9 Ca	R Ca

Page 47

Thérèse a le pion rouge (indice 3). Rachel, qui a obtenu un trois, n'a pas le pion jaune (indice 2), et le joueur qui a choisi les pions bleus a obtenu un quatre (indice 5). Donc, Rachel joue avec les pions verts. Angéla ne joue pas avec les pions bleus (indice 5), donc il s'agit d'Yvonne, et Angéla joue avec les pions jaunes. Yvonne, qui a obtenu un quatre, ne peut pas être en 4 (indice 1) et le joueur en 2 a obtenu un six (indice 4), donc Yvonne est soit en 1 soit en 3. Mais l'indice 6 écarte la position 3, donc elle se trouve en 1. Nous savons que Rachel, qui a obtenu un trois, n'est ni en 1 ni en 2, et l'indice 1 écarte la position 3, donc elle se trouve en 4. Angéla, qui joue avec les pions jaunes, est donc en 3 (indice 2). Par élimination, Thérèse est en 2 et a obtenu un six. Donc, par élimination, c'est Angéla qui a obtenu le un.

Résumé :

1, Yvonne, bleu, 4.
2, Thérèse, rouge, 6.
3, Angéla, jaune, 1.
4, Rachel, vert, 3.

Page 48

Le nom de famille de Suzanne est Nivert (indice 4) et Mlle Kléber est l'animatrice de jeu (indice 2), donc Laura la journaliste (indice 3) s'appelle Robin, et le prénom de Kléber est Daniella. Par élimination, Suzanne Nivert est présentatrice. Elle n'a pas suivi d'études d'infirmière (indice 4) ou d'enseignante (indice 5), donc elle s'est préparée à devenir avocate. Daniella Kléber n'a pas suivi d'études pour devenir enseignante (indice 1), donc elle s'est préparée à devenir infirmière. Laura Robin est donc la journaliste qui a suivi des études d'enseignante.

Résumé :

Daniella Kléber, animatrice de jeu, infirmière.
Laura Robin, journaliste, enseignante.
Suzanne Nivert, présentatrice, avocate.

Page 49

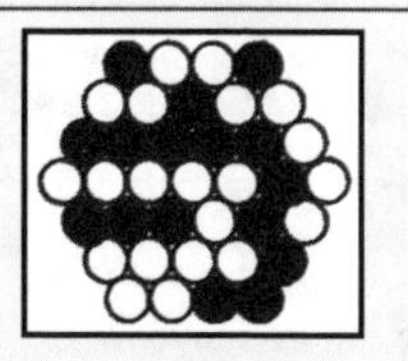

Page 50

De gauche à droite : roi de pique, dame de pique, roi de trèfle, roi de cœur.

Page 51

A6 B4 C7 D1 E3 F5 G2 H8, total : 58.

Page 52

L'homme dans le fauteuil 13 de la rangée A (indice 6) ne peut être ni Pierre, ni Henri (indice 1), ni Robert (indice 4). Judith ne peut pas être dans le fauteuil 13 (indice 5), donc cet indice écarte le fauteuil 13 du rang A à la fois pour Charles et Vincent ; donc, par élimination, l'homme dans ce fauteuil est Thierry. Angéla est aussi dans la rangée A (indice 1), qui doit aussi comporter une femme de plus (indice 3). Il ne s'agit ni de Nina, qui est dans le fauteuil 12 de la rangée B (indice 2), ni de Jeannette ou Lydie (indice 7). L'indice 5 écarte Judith, donc, par élimination, Marianne est dans la première rangée. Il ne peut être ni le 10 ni le 11 (indice 4), et nous savons déjà que ce n'est pas le 13, donc c'est le 12. Donc, Robert occupe le fauteuil 10 de cette rangée (indice 4), et donc Angéla se trouve dans le fauteuil 11. Donc, en fonction de l'indice 1, Pierre occupe le fauteuil 11 de la rangée B. Il doit y avoir un deuxième homme dans cette rangée (indice 3). Ce n'est pas Henri, qui est dans la rangée C (indice 1), et l'indice 5 écarte Vincent des fauteuils 10 et 13 de cette rangée, qui sont les deux derniers disponibles. Nous savons que Thierry et Robert sont dans la rangée donc, par élimination, Charles est dans la rangée B. Il ne peut pas être dans le fauteuil 13 (indice 5), donc il est dans le fauteuil 10. En fonction de l'indice 5, Judith est dans le fauteuil 10 de la rangée C, et Vincent dans le fauteuil 11 de la même rangée. Donc, en fonction des indices 1 et 7, Henry est dans le fauteuil 12 de la rangée C, et Lydie dans le fauteuil 13, de la même rangée ; le fauteuil 13 de la rangée B est occupé par Jeannette.

Résumé :
Rangée A : 10, Robert ; 11, Angéla ; 12, Marianne ; 13, Thierry. Rangée B : 10, Charles ; 11, Pierre ; 12, Nina ; 13, Jeannette. Rangée C : 10, Judith ; 11, Vincent ; 12, Henri ; 13, Lydie.

Page 53

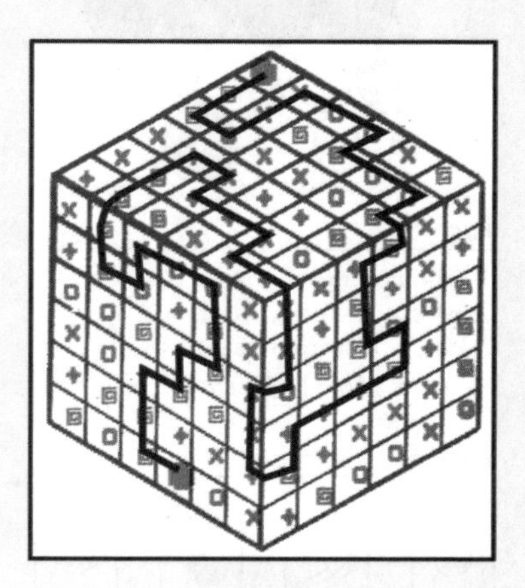

Page 54

J	W	G	Z	U	P	E
B	R	N	P	X	H	U
D		Y	K	S	F	M
V	F	D	M	I	Y	S
L		A	R	E		W
G		K	I	O	T	C
Q	B	V	X	Z	J	O
N	I	Q	C	A	L	H

Page 55

Page 56

1, Rose, numéro 11, ananas.
2, Sylvie, numéro 15, pêche.
3, Hélène, numéro 8, fraise.
4, Jennifer, numéro 20, cerise.

Page 57

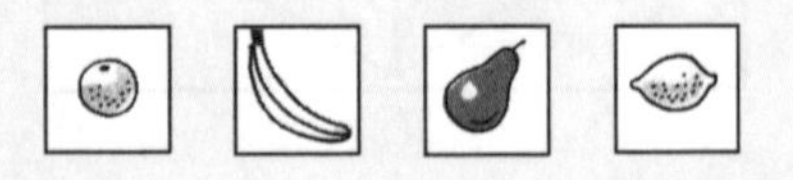

Page 58

	19	35	13		19	11		37	8	13
7	2	1	4	15	7	8	20/11	8	5	7
21	8	4	9	24/15	9	3	2	4	1	5
15	9	6	10/10	7	3	20/20	8	9	2	1
	10/9	7	2	1	12/9	8	1	3	6	11
27	4	9	8	2	1	3	9	6	1	2
13	5	8	22	5	8	9	21	7	5	9

Page 59

1	Jérôme	9	Jacques
2	Alice	10	Christine
3	Danielle	11	Édith
4	Marie	12	Charles
5	Thomas	13	Georges
6	Bernard	14	Karine
7	Jeanne	15	Laurence
8	Frédéric	16	Pierre

Page 60

Rose a utilisé la peinture à l'huile (indice 2), donc l'aquarelle représentant le moulin, qui n'est pas l'œuvre de Nadine (indice 3), a été réalisée par Joséphine. Nadine a donc utilisé l'encre de Chine. Donc, elle n'a pas réalisé le pont (indice 4) mais l'église. Donc, elle s'appelle Favier (indice 1). Par élimination, la peinture à l'huile de Rose représente un pont. Son nom de famille n'est pas Claudel (indice 2), donc elle s'appelle Paulin. Joséphine s'appelle donc Claudel.

Résumé :
Joséphine Claudel, moulin, aquarelle.
Nadine Favier, église, encre de Chine.
Rose Paulin, pont, peinture à l'huile.

Page 61

Page 62

Le rouge était en C mardi (indice 4) donc, comme il ne pouvait pas y être jeudi, le bleu ne pouvait pas se trouver en D ce jour-là (indice 1). En fonction du même indice, le rouge ne s'y trouvait pas, tout comme le vert (indice 3) : c'est donc le stylo noir qui se trouvait en D jeudi. Donc, mercredi, D n'était occupé ni par le noir, ni par le bleu (indice 1), ni par le vert (indice 3), mais par le rouge ; D était occupé par le vert lundi (indice 2). Par élimination, le stylo placé en D mardi était bleu et, en fonction de l'indice 1, celui en C le mercredi était bleu. En fonction de nos précédentes constatations, le stylo placé en C lundi ne peut être ni rouge, ni bleu, ni vert, donc il s'agit du noir, ce qui laisse la position C pour le stylo vert jeudi. En fonction de l'indice 1, le bleu se trouvait en A et le rouge en B le lundi. En fonction de l'indice 3, le vert était en B mardi et en A mercredi : le noir était en A mardi et en B mercredi. Par élimination, le rouge se trouvait en A et le bleu en B le jeudi.

Résumé :

Lundi : bleu, rouge, noir, vert.
Mardi : noir, vert, rouge, bleu.
Mercredi : vert, noir, bleu, rouge.
Jeudi : rouge, bleu, vert, noir.

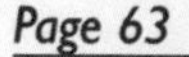

Page 63

4	2	5	4	6	×	2	=	8	5	0	9	2
1	0	8	9	+	6	2	2	=	1	7	1	1
2	4	+	1	8	+	3	9	7	=	4	3	9
1	4	×	2	5	8	7	=	3	6	2	1	8
5	+	9	+	4	+	5	–	9	÷	2	=	7
1	0	0	0	9	=	1	8	+	9	9	9	1
6	7	5	×	1	9	÷	9	=	1	4	2	5
9	6	–	7	–	7	+	8	÷	3	0	=	3
6	×	1	1	5	4	5	=	6	9	2	7	0
2	8	8	9	–	5	6	6	=	2	3	2	3
4	5	+	9	0	+	4	3	9	=	5	7	4
2	4	9	–	1	6	8	–	3	9	=	4	2
2	5	×	3	6	–	2	0	0	=	7	0	0

Page 64

Le 5 est le nombre intérieur de D (indice 4), donc il ne peut s'agir de la bande concernée par l'indice 5, ni le E (indice 3), ni la C (indice 7), et les nombres extérieurs de A et F doivent comporter un seul chiffre (indice 2), dont la bande concernée par l'indice 5 est B. L'indice 8 précise que le 17 n'est pas le nombre intérieur donc, en fonction de l'indice 5, les nombres de B, de l'intérieur vers l'extérieur, sont 12, 1 et 17. Donc, en fonction de l'indice 8, le nombre intérieur de E est 18 et celui de F est 8. Nous avons maintenant placé quatre nombres intérieurs dont le total est 43 donc, en fonction de l'indice 1, les deux autres doivent totaliser 21. En fonction des nombres déjà placés, nous pouvons écarter 18 et 3, 17 et 4, 16 et 5, 13 et 88, 12 et 9, et l'indice 6 écarte 15 et 6, 11 et 10, donc il s'agit de 14 et 7. En fonction de l'indice 4, le 7 est en C, et le 14 en A. Nous connaissons désormais que le chiffre central de A (indice 2) n'est ni 1, ni 5, ni 7, ni 8, ni, le 15 n'étant pas le nombre intérieur, le 6 (indice 6). Il ne peut pas s'agir du 2 (indice 2). S'il s'agissait du 3 ou du 4, en fonction de l'indice 2, l'un des deux autres nombres serait le 1, mais nous avons déjà placé ce chiffre. Donc, par élimination, il s'agit du 9. Nous savons que le nombre extérieur n'est ni 7 ni 8, que nous avons déjà placés, ni le 1 ni le 2 (indice 2). Nous savons aussi que, le 5 ayant été placé, il ne peut s'agir du 4 (indice 2), donc il s'agit du 3 ou du 6, dont l'un doit être le numéro extérieur de F (indice 2). Mais nous avons déjà placé le seul nombre pair de F (indice 3), donc son nombre extérieur est 3 et le 6 doit être en A. Nous savons que le 15 n'est pas en B donc, en fonction de l'indice 6, c'est le nombre central de F. L'indice 6 révèle que le 10 est nombre extérieur. Le nombre central qui suit est 16 (indice 6), donc ils ne peuvent être ni en E, qui a déjà un nombre pair (indice 3), ni en C, qui a déjà un nombre à deux chiffres (indice 7), donc ils sont en D. Le 2 n'étant pas en C (indice 7), il s'agit de l'un des deux nombres pairs de E (indice 3), ce qui laisse le 4 en C. En fonction de l'indice 7, le 13 est en C, laissant le 11 en E. En fonction de l'indice 3, le 2 est le nombre extérieur de E, et le 13 est le nombre extérieur de C (indice 7), le 11 et le 4 sont les nombres centraux de leurs bandes respectives.

Résumé :
De l'intérieur vers l'extérieur :
A : 14, 9, 6. **B** : 12, 1, 17. **C** : 7, 4, 13. **D** : 5, 16, 10. **E** : 18, 11, 2. **F.** 8, 15, 3.

Page 65

… 2 DF AF BF (vers le bas) … 4 AG DF (vers le bas) AG

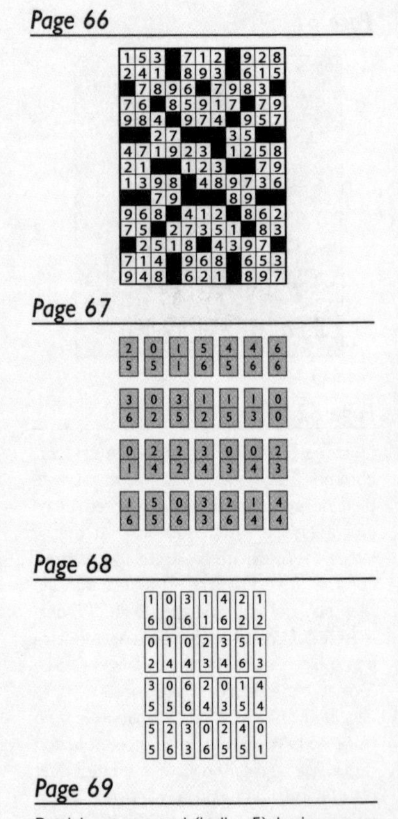

Page 66

1	5	3		7	1	2		9	2	8
2	4	1		8	9	3		6	1	5
	7	8	9	6		7	9	8	3	
7	6		8	5	9	1	7		7	9
9	8	4		9	7	4		9	5	7
		2	7				3	5		
4	7	1	9	2	3		1	2	5	8
2	1			1	2	3			7	9
1	3	9	8		4	8	9	7	3	6
		7	9				8	9		
9	6	8		4	1	2		8	6	2
7	5		2	7	3	5	1		8	3
	2	5	1	8		4	3	9	7	
7	1	4		9	6	8		6	5	3
9	4	8		6	2	1		8	9	7

Page 67

2	0	1	5	4	4	6
5	5	1	6	5	6	6
3	0	3	1	1	1	0
6	2	5	2	5	3	0
0	2	2	3	0	0	2
1	4	2	4	3	4	3
1	5	0	3	2	1	4
6	5	6	3	6	4	4

Page 68

1	0	3	1	4	2	1
6	0	6	1	6	2	2
0	1	0	2	3	5	1
2	4	4	3	4	6	3
3	0	6	2	0	1	4
5	5	6	4	3	5	4
5	2	3	0	2	4	0
5	6	3	6	5	5	1

Page 69

Patrick est au nord (indice 5). Le joueur au sud, dont la suite ne comporte que cinq cartes (indice 3) ne peut pas être Roger (indice 1), et, la suite du joueur à l'est étant composée de cartes cœur (indice 4), l'indice 1 écarte l'hypothèse que Roger se trouve à l'ouest, dont le partenaire à une suite composée de cartes trèfle. Donc, par élimination, il se trouve à l'est et sa suite est composée de cartes cœur. En fonction de l'indice 1, la suite du joueur situé à l'ouest est composée de cartes trèfle. Nous savons que le joueur au sud, qui possède une suite de cinq cartes, n'est ni Patrick, ni Roger, ni Thierry (indice 2), donc, par élimination, il s'agit de Bruno. Donc, en fonction de l'indice 6, son partenaire, Patrick, assis au nord, a une suite de huit cartes. Par élimination, Thierry est à l'ouest, est sa suite est composée de cartes trèfle. La suite de huit cartes de Patrick ne peut pas être composée de cartes carreau (indice 2), donc il s'agit de cartes pique. Bruno possède donc une suite de cinq cartes carreau. En fonction de l'indice 1, Roger a sept cartes cœur et Thierry six cartes trèfle.

Résumé :
Nord, Patrick, pique, 8.
Est, Roger, cœur, 7.
Sud, Bruno, carreau, 5.
Ouest, Thierry, trèfle, 6.

Page 70

1	0	5	9	2	1			3	4	4	3	5	3	
6				9	0	1	7	3		1				5
6	6	8	8	9	6			7	1	3	7	5		2
9		1		1		2	0	4		0		1		3
2		7		0				7		1		3	0	1
7	8	9	1	2	1		8	3	6	3	4	3		4
		7			0		0					9	1	9
	6		5		1		9	7	7	0	2	7		
	0		6	2	0	7	3	2			2		3	
5	5	0	7	3				3			4	0	1	7
	2			8		4	0	3	0	4	4		2	
4	3	1	5	0		1		7			6	0	3	7
1			1			5		8	8	6	6			2
9	1	7	1		7	2	3			0		8	1	8
0			1			8		1	8	5	3			3

Page 71

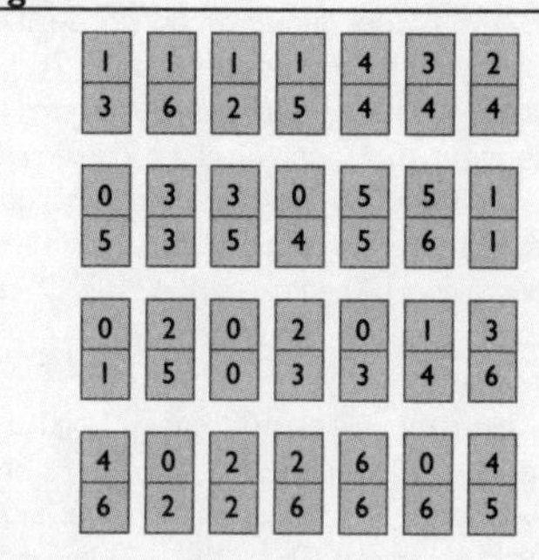

Page 72

Les 5 000 euros ne sont ni dans la boîte 1, ni dans la 6 (indice 7), ni dans la 2, car Lise a gagné une somme inférieure (indice 2), ni dans la 3 (indice 7), ni dans la 5 (indice 3) : donc les 5 000 euros se trouvent dans la boîte 4. En fonction de l'indice 7, un homme a ouvert la boîte 3 et une femme a ouvert la boîte 5 ; deux hommes n'ayant pas ouvert des boîtes adjacentes, les deux autres femmes, Charlotte et Suzanne, ont ouvert les boîtes 4 et 5. En fonction de l'indice 6, c'est Suzanne qui a ouvert la boîte gagnante 4, tandis que Robert a ouvert la boîte 3, Charlotte la boîte 5 et, par élimination, Gilles la boîte 1. Lise et Charlotte ont toutes deux gagné de l'argent (indice 2), donc, en fonction de l'indice 5, la boîte contenant la cuiller a été ouverte soit par Michel, soit par Robert. Mais, en fonction de l'indice 4, ni Michel ni Gilles n'ont gagné la savonnette, donc il s'agit de Robert ; Michel a donc gagné la cuiller et Gilles une somme d'argent. En fonction de l'indice 5, Charlotte a gagné 1 000 euros. En fonction de l'indice 4, Suzanne est la 5e candidate et, en fonction de l'indice 6, Robert est le 6e. Le 1er candidat n'est ni ce dernier (indice 1), ni Lise (indice 2), ni Michel (indice 3), donc il s'agit de Charlotte. En fonction des indices 2 et 3, Michel et Lise se partagent les ordres de passage 3 ou 4, donc Gilles est deuxième. Il n'a pas gagné 50 centimes (indice 5), donc c'est Lise qui a remporté ce prix. Gilles a donc gagné 100 euros, Michel est le 3e candidat et Lise la 4e candidate.

Résumé :

1, deuxième, Gilles, 100 euros. 2, quatrième, Lise, 50 centimes. 3, sixième, Robert, savonnette. 4, cinquième, Suzanne, 5 000 euros. 5, premier, Charlotte, 1 000 euros. 6, troisième, Michel, cuiller en bois.

Page 73

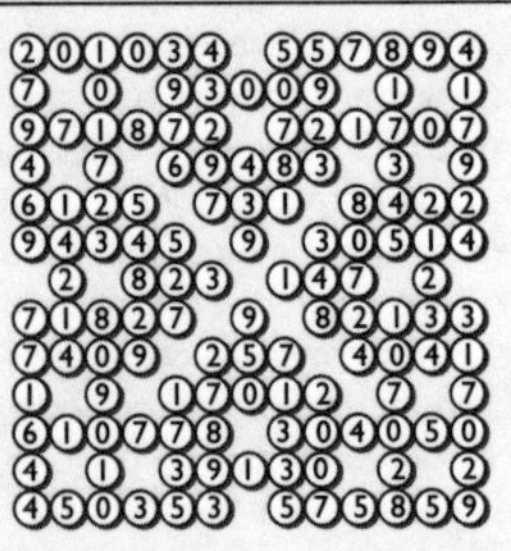

Page 74

La photo de 1959 n'est ni en A (indice 1), ni en C (indice 3), ni en E (indice 4), ni en B ni en D (indice 5), donc elle est en F. La photo prise au lac d'Annecy est la photo E (indice 2). La photo E n'ayant pas été prise à l'île de Ré, la date de la photo C ne peut être ni 1975 (indice 3), et la date de la photo E n'est pas 1979 (indice 4). Elle ne peut pas dater de 1975 (indice 1) et, la photo C ne datant pas de 1971 (indice 1), la photo E ne date pas de 1972 (indice 4). Sachant que la photo C ne date pas de 1959, la photo E ne peut pas dater de 1963 (indice 4), donc elle date de 1971, et la photo C date de 1963 (indice 4). La photo de l'île de Ré date de 1959 (indice 3) et c'est la photo F. Donc D date de 1975 (indice 3) et, en fonction de l'indice 2, il s'agit de la photo prise en Cornouailles. L'indice 5 démontre que la photo B a été prise en 1979 ; donc la photo de 1972 est la A. En fonction de l'indice 4, Turin est le lieu où la photo B a été prise, en 1979. La photo A n'a pas été prise en Bretagne (indice 4), donc il s'agit de la photo prise à Assise. La photo C a donc été prise en Bretagne.

Résumé :

A, Assise, 1972. B, Turin, 1979. C, Bretagne, 1963. D, Cornouailles, 1975. E, lac d'Annecy, 1971. F, île de Ré, 1959.

Page 75

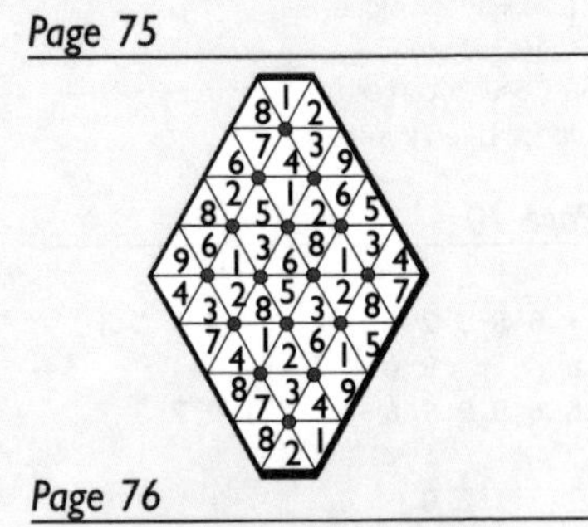

Page 76

4 5	5 2	5 4	6 1	4 3
5 9	4 1	4 8	5 0	5 7
5 3	5 5	6 2	3 9	4 6
4 2	4 4	5 1	5 8	6 0
5 6	6 3	4 0	4 7	4 9

Page 77

L'image 5 n'étant pas marron (indice 1), le timbre marron est un timbre à 10 centimes. Il ne peut pas s'agir du timbre 4 (indice 2), donc ce timbre, qui comporte un 1 dans sa case valeur (indice 3), est un timbre à 15 centimes. Donc, en fonction de l'indice 4, le timbre 2 est bleu. L'indice 2 démontre que la cathédrale, qui a un zéro dans sa case valeur, ne peut pas être le timbre 4, donc c'est le timbre 2, et, en fonction de cet indice, le timbre 1 est un timbre marron à 10 centimes. Le même indice démontre que la valeur du timbre bleu 2 est 50 centimes. Par élimination, le timbre 3 a une valeur de 25 centimes. La montagne ne figure pas sur le timbre à 10 centimes en position 1 (indice 5), et le même indice démontre qu'elle ne figure pas sur le timbre à 25 centimes, puisque nous savons que le timbre à 50 centimes est bleu. Nous savons qu'elle ne figure pas sur le timbre à 50 centimes, donc elle figure sur le timbre 4 à 15 centimes. Ainsi, en fonction de l'indice 5, le timbre rouge vaut 25 centimes, et le timbre vert 15 centimes. L'indice 3 démontre que le timbre 3 ne représente pas le port, donc il représente la chute d'eau ; le port est le sujet du timbre marron dont la valeur est 10 centimes.

Résumé :

1, port, 10 centimes, marron.
2, cathédrale, 50 centimes, bleu.
3, chute d'eau, 25 centimes, rouge.
4, montagne, 15 centimes, vert.

Page 78

Le 19 en B3 est le seul nombre à deux chiffres (indice 2), donc le 9 ne peut pas être dans les rangées 1, 3 ou 4 (indice 3) et le seul nombre à un chiffre de la rangée 2 est le 7 (indice 2), donc le 9 est dans la rangée 5 ; mais il ne peut pas être en E5 (indice 3). Le 11 se trouvant dans la rangée 4 (indice 6), l'indice 5 exclut le 16 en A4, donc le 9 ne peut pas être en A5 ni en C5 (indice 8). Le 17 se trouvant en colonne D (indice 7), l'indice 5 exclut le 12 en E5, donc, en fonction de l'indice 3, le 9 ne peut pas être en D5, et, par élimination, ne peut être B5. En fonction de l'indice 3, le 16 est en B4 et le 12 en C5. Il doit y avoir un seul zéro dans chaque rangée et colonne (indice 1). Nous savons que le zéro de la rangée 5 n'est ni B5, ni en C5, ni en D5 (indice 7), ni en E5, car le 6 est en rangée 1 (indices 5 et 9), donc, par élimination, il est en D5. Le 17 en colonne D n'est pas en D1 ou D4 (indice 7), et l'indice 2 exclut D3. Il est donc en D2, et D1 contient un zéro (indice 7). Le zéro de la rangée 3 n'est ni en A3, ni en C3, ni en D3 (indice 1), et nous savons qu'il n'est pas en B3, donc il est en E3. L'indice 1 exclut que le zéro de la rangée 4 soit en A4, D4 ou E4 ; il est donc en C4. Le 1 en colonne B n'est pas en B1 (indice 1), donc il est en B2. L'indice 6 place maintenant le 11 en E4 et le 5 en D4, donc, en fonction de l'indice 7, le 8 est en D3. Le nombre en E5 ne peut pas être compris entre 16 et 20 inclus (indice 5) et nous savons qu'il ne s'agit ni du 1, ni du 5, ni du 6 (indice 9), ni du 7 (indice 2), ni du 8, ni du 9, ni du 11, ni du 12 donc il s'agit du 2, du 3, du 4, du 10, du 13, du 14 ou du 15. L'indice 5 exclut le 3, le 4 et le 14, car nous avons déjà placé le 8, le 9 et le 19, et il exclut aussi le 2, le 10 et le 13, car nous savons que ni le 1, ni le 9, ni le 12 ne sont en C2, donc par élimination, le 15 est en E5 et, en fonction de l'indice 5, le 20 est en A4, et le 14 en C2. La somme des nombres de la colonne E étant 45 (indice 4), les nombres en E1 et E2 totalisent 19. Donc, comme nous avons placé le 12, le 7 n'est pas en E2, mais en A2 (indice 2). En fonction de l'indice 4, le 13 est en E2, donc, en fonction du même indice, E1 contient le 6. Le 3 n'est pas en C3 (indice 8), donc, en fonction de l'indice 10, il est en A3, et le 10 est en A1. Le 18 n'est pas en C1 ou C3 (indice 8), donc il est en B1. L'indice 6 place donc le 2 en C1 et le 4 en C3.

	A	B	C	D	E
1	10	18	2	0	6
2	7	0	14	17	13
3	3	19	4	8	0
4	20	16	0	5	11
5	0	9	12	1	15

Page 79

3, 0, 6, 2, 8, 5, 4, 9, 7, 1.

Page 80

Frère Luc apparaît dans la tour A (indice 4). La tour neuve est hantée par la princesse Édith (indice 2), donc, en fonction de l'indice 2, la tour de la sorcière, qui abrite le cachot du même nom, ne peut être ni dans la tour A ni dans la tour B. La salle de la tour C est la chambre du roi (indice 1), donc la tour de la sorcière est la tour D et, en fonction de l'indice 2, la tour neuve est la tour C et la princesse Édith hante la chambre du roi. La salle dans la tour B n'est pas la salle du trésor (indice 4), donc il s'agit de la salle des soupirs. Ainsi, la tour B n'est pas la tour du dragon (indice 3) mais la tour noire. Par élimination, la tour du dragon est la tour A, et frère Luc, qui y rôde, apparaît dans la salle du trésor. En fonction de l'indice 4, le fantôme de la tour B, qui n'est pas le comte Ivan (indice 4), est Margaret, et le comte Ivan hante la tour D, la tour de la sorcière.

Résumé :

A, tour du dragon, salle du trésor, frère Luc.

B, tour noire, salle des soupirs, Margaret.

C, tour neuve, chambre du roi, princesse Édith.

D, tour de la sorcière, cachot de la sorcière, comte Ivan.

Page 81

	11	19	17		6	18	21	16	11	8
14	2	8	4	39	5	4	9	8	7	6
24	8	9	7	23/13	1	3	8	5	4	2
15	1	2	3	9	7/18	1	4	2	20	6
	10	22/20	1	4	9	8	8/22	1	4	3
18	7	9	2	8/10	1	2	5	11/12	9	2
4	1	3	14/9	6	8	18/11	8	2	7	1
18	2	8	5	3	21/14	5	9	7	10	17
	12	11/23	3	1	5	2	15/16	3	5	7
9	2	6	1	10/16	1	4	5	12/29	3	9
10	1	9	12/21	4	8	13/9	7	3	2	1
30	9	8	7	6	9/17	3	4	2	19	11
	10	12/7	2	1	3	6	13/5	7	5	1
33	7	6	8	3	9	18	1	8	6	3
15	3	1	4	2	5	28	4	9	8	7